CRULS

S T R I
E D E

JAIME SAUTCHUK

CRULS

Histórias e andanças do cientista que inspirou JK a fazer Brasília

GERAÇÃO

1ª edição – Fevereiro de 2014

Grafia atualizada segundo o Acordo Ortográfico da Língua Portuguesa
de 1990, que entrou em vigor no Brasil em 2009.

Editor e Publisher
Luiz Fernando Emediato

Diretora Editorial
Fernanda Emediato

Produtora Editorial e Gráfica
Priscila Hernandez

Assistente Editorial
Carla Anaya Del Matto

Capa, Projeto Gráfico e Diagramação
Alan Maia

Preparação
Sandra Martha Dolinsky

Revisão
Rinaldo Milesi

DADOS INTERNACIONAIS DE CATALOGAÇÃO NA PUBLICAÇÃO (CIP)
(Câmara Brasileira do Livro, SP, Brasil)

Sautchuk, Jaime
Cruls : histórias e andanças do cientista que inspirou
JK a fazer Brasília / Jaime Sautchuk. -- São Paulo :
Geração Editorial, 2014.

ISBN 978-85-8130-222-5

1. Astronomia - Brasil - História 2. Brasília (DF) - História
3. Cruls, Luiz, 1848-1908 4. Expedições científicas - Brasil
5. Planalto Central (Brasil) - História I. Título.

14-00464 CDD-522.1981

Índices para catálogo sistemático

1. Expedições científicas : Brasil : História 522.1981

GERAÇÃO EDITORIAL

Rua Gomes Freire, 225 – Lapa
CEP: 05075-010 – São Paulo – SP
Telefax: (+ 55 11) 3256-4444
Email: geracaoeditorial@geracaoeditorial.com.br
www.geracaoeditorial.com.br
twitter: @geracaobooks

Impresso no Brasil
Printed in Brazil

Índice

Acampamento no Vértice Sudoeste (SW); casa de madeira ao estilo da época e ainda hoje muito usado na região amazônica. Ali, foi implantado um observatório cuja finalidade era medir as diferenças de longitudes entre a Cidade de Goiás, Uberaba e São Paulo

Salto do Itiquira, no município de Formosa (GO), visitado por Cruls e hoje preservado como parque municipal. À época, sua queda livre foi estimada em 120 m, mas medidas mais recentes a fixam em 168 m

Prefácio

O desafio da interiorização do Brasil sempre esteve na mente e ações do colonizador português. Um século e meio após a chegada dos descobridores às costas da Bahia, as primeiras expedições, também conhecidas como entradas e bandeiras, já eram organizadas saindo de São Paulo.

A preocupação com a segurança, defesa e expansão das fronteiras do Brasil colonial levaram bandeirantes e aventureiros a povoar o Brasil central.

Cruls é um livro que descreve, de maneira brilhante e atraente, o final desse primeiro capítulo da saga da conquista do território brasileiro, a realização da primeira expedição entre 1892 e 1893, totalmente dedicada a demarcar o local para a nova capital no interior da nascente república do Brasil.

Esse marco histórico da jovem nação brasileira é agora relatado sob a perspectiva de um jornalista com profundas raízes na região centro-oeste e que tem participado ativamente da preservação da memória e do rico meio ambiente "cerratense" do coração do país.

Através de uma narrativa suave e precisa, o autor nos leva a realizar uma viagem pelo Brasil central dos séculos XVII, XVIII e XIX, mostrando a habilidade do colonizador de convencer, ou melhor, obrigar, na maioria das vezes de forma violenta, as populações indígenas a se submeter aos seus planos de posse e expansão das fronteiras da colônia.

O papel dos escravos e a miscigenação resultante do processo também são analisados de forma a contextualizar no tempo e no espaço a chegada da missão Cruls ao Brasil central no final do século XIX.

No ano em que a Comissão Exploradora do Planalto Central, denominada missão Cruls, completa 120 anos, e a capital que ela demarcou já passa dos seus 53 anos, é importante, mais uma vez, refletir sobre o significado, circunstâncias, consequências e razões para a transferência da capital do Rio de Janeiro para Brasília.

O autor não só mostra como foi essencial para o desenvolvimento da região a transferência da capital, mas também chama a atenção para o custo ambiental dos ciclos econômicos e históricos da região, da extração mineral ao atual agronegócio.

Outro aspecto fundamental da obra está na descrição de fatos ainda não conhecidos pelo grande público da vida de Louis Ferdinand Cruls, sua vinda da Europa ao Brasil, sua identificação com o país, sua influência junto ao império que findava e as circunstâncias que o fizeram diretor do Observatório Nacional (ON) da recém-criada república. Mesmo sendo amigo e ligado ao último imperador do Brasil, D. Pedro II, o então presidente Floriano Peixoto o nomeou para conduzir tão importante missão.

Além das precisas medições astrométricas que demarcaram o quadrilátero do futuro Distrito Federal, o livro destaca como a missão executou um grande trabalho de avaliação do clima e da riqueza vegetal e aquífera da região, bem como a descrição detalhada da geologia e geografia do terreno de Pirenópolis a Luziânia, Formosa e Planaltina.

No intuito de encontrar o melhor e mais adequado local para a futura capital, a missão passou por cidades como Catalão e Vila Boa (Goiás velho), facilitando, assim, o trabalho dos futuros construtores de Brasília que viriam sessenta anos depois.

A obra de Jaime Sautchuk fornece ainda importantes descrições e análises de como a construção da nova capital teve que ser postergada em função de rebeliões internas regionais, disputas territoriais de fronteiras, golpes de estado e até mesmo as guerras mundiais, quando Juscelino Kubitschek anunciou, finalmente, no início de seu governo, nos anos 1950, a construção da nova capital.

No momento em que Brasília tem, no século XXI, o desafio de se firmar como grande metrópole nacional, respeitando os novos e necessários parâmetros ambientais mundiais, será obrigada, ironicamente, a recorrer novamente às ciências do espaço. O novo Distrito Federal, demarcado pelos astrônomos do ON em 1893, terá agora de ser monitorado por satélites de observação da Terra.

Para se inserir nas grandes correntes mundiais em prol do desenvolvimento autossustentado, o DF terá que se apoiar na inovação científica e tecnológica. Ao mesmo tempo que, para evitar maiores danos ao meio ambiente, precisará se manter fiel aos ideais dos que propiciaram sua fundação em 1960.

Daí o presente livro constituir-se em mais uma importante referência para aqueles que querem refletir sobre a história da região centro-oeste, bem como sobre as ações que nortearam a mudança da capital; e, quem sabe, então poder definir com mais propriedade os rumos futuros do Distrito Federal.

JOSE LEONARDO FERREIRA
Professor da Universidade de Brasília (UnB)

Apresentação

A Comissão Exploradora do Planalto Central do Brasil, chefiada por Luiz Cruls, que percorreu a região em 1892/93, fez muito mais que demarcar os limites do futuro Distrito Federal, onde está Brasília. Fez um magnífico estudo sobre o meio ambiente da parte central do país, em especial de Goiás. Pode-se dizer que o primeiro Relatório de Impacto Ambiental (RIMA) elaborado no Brasil foi, certamente, o Relatório Cruls, publicado em 1894.

Esses estudos foram ampliados em 1894/95 em nova viagem do grupo por ele coordenado para aprofundar as pesquisas sobre a nova capital e definir o traçado de ferrovia ligando Catalão (GO) a Cuiabá (MT), por ele sugerida. Durante dezoito meses, o grupo vasculhou grande parte do estado de Goiás e aprofundou um levantamento de inestimável valor.

Cruls e demais membros da expedição usavam a tecnologia disponível há mais de 120 anos e se baseavam no cosmo para sua orientação nas andanças e medições que fizeram. Foram produzidos estudos, mapas, e afixados marcos com incrível precisão com base na observação do céu. Assim, foi demarcado o chamado Quadrilátero Cruls, que definiu o formato e os limites do novo Distrito Federal.

Mas, ao mesmo tempo, mantinham seus pés firmes no chão goiano, realizando meticuloso levantamento da flora, fauna, clima, topografia, recursos hídricos e das populações humanas que ocupavam esses sertões. Seu relatório, concluído em meados de 1893, e os levantamentos posteriores, são, desde então, valiosos instrumentos para estudiosos de todos os ramos das ciências.

Foi uma importante contribuição para a formação histórica do estado e do Brasil. Embora fosse belga de nascimento, Cruls naturalizou-se brasileiro e aqui passou a maior parte de sua vida.

Louis Ferdinand Cruls nasceu em Diest, na Bélgica, em 21 de janeiro de 1848. Seguindo a carreira de seu pai, cursou engenharia civil na Universidade de Gant, em seu país, entre 1863 e 1868. Enquanto isso, entrou para o exército belga e em pouco tempo galgou vários postos. Mas a promissora carreira durou poucos anos, pois resolveu vir de mala e cuia para o Brasil.

Ainda nos bancos acadêmicos, conhecera vários estudantes brasileiros, que lhe falavam de um país acolhedor e muito promissor nos campos das ciências e da economia. Quem mais o influenciou foi o engenheiro gaúcho Caetano Furquim de Almeida, que atuava no ramo de ferrovias, um setor em franco desenvolvimento tanto na Europa como aqui, na ex-colônia portuguesa.

No início de setembro de 1874, Cruls tomou um barco em Bordeaux rumo a Pouillac, na França, onde pegaria o transatlântico *Orinoque* para uma viagem de mais de três semanas ao Brasil. Já nas primeiras horas da jornada, por puro acaso, conheceu Joaquim Nabuco, jovem diplomata brasileiro que regressava de viagem a países europeus.

A Nabuco ele informou que sua estada no Brasil seria de pouca duração, mas de pronto entraria em contradição, pois revelava que havia pedido demissão da carreira militar na Bélgica. Ou seja, estava solto no mundo. A afinidade entre eles foi imediata e se tornaram grandes amigos por longos e longos anos, em solo brasileiro.

Esse convívio na viagem com Nabuco foi providencial para Cruls. Ao chegar ao Brasil, ele tentou localizar o engenheiro Furquim, mas este se encontrava no Rio Grande do Sul a serviço da empresa Ottoni, Furquim & Penna, da qual era proprietário, fazendo medições para a construção de uma nova ferrovia. Por carta, Furquim informou ao amigo recém-chegado que só voltaria ao Rio de Janeiro meses depois, o que de fato ocorreu.

Sem aquele que seria seu ponto de apoio no Brasil, Cruls pensou que ficaria em apertos. Ledo engano. Nabuco fez as vezes do anfitrião e desde logo o introduziu nos altos ambientes cariocas. Por meio de seu pai, que era senador, em pouco tempo proporcionou um primeiro encontro do novo amigo com o imperador D. Pedro II.

O monarca brasileiro, conhecido por seu desprendimento e gosto pelas ciências, logo percebeu os dotes do visitante belga. Nasceria ali também uma profícua amizade e seria traçado o roteiro de completa integração de Cruls à vida nacional. Seis anos depois, foi o próprio Pedro II quem assinou a ato de sua naturalização. Com o nome de Luiz Cruls, era um novo cidadão brasileiro.

A facilidade de se relacionar e de encantar as pessoas era uma característica do cientista, apesar de, desde muito jovem, por sua abnegação e apego aos estudos, ter tudo para ser um sujeito refratário, solitário. Ao contrário, contudo, na vida real era pessoa amável, sociável, cortês e, acima de tudo, muito culto. Praticamente não havia assunto estranho para ele.

Sem trocadilho, a trajetória do engenheiro belga no Brasil foi meteórica. O primeiro passo foi se tornar astrônomo. Dois meses depois de sua chegada, foi nomeado membro da Comissão Carta Imperial, que faria uma espécie de plano diretor geral do país e era subordinada ao então ministro dos Trabalhos Públicos, Buarque de Macedo.

Em viagem oficial à França, para auxiliar o ministro na recepção de alguns equipamentos de astronomia adquiridos pelo Brasil, Cruls alegou "questões familiares" e foi à Bélgica. Lá, publicou na revista da Universidade de Gant um trabalho sobre cálculos de medição de ângulos nos campos astronômico e geodésico.

Segundo o astrônomo brasileiro Ronaldo Rogério de Freitas Mourão, o estudo teve grande repercussão nos meios científicos globais. Em seus escritos, Mourão relembra esses feitos[1]:

> Quando do trânsito de Mercúrio pelo disco solar, em 6 de maio de 1878, Cruls apresentou à Academia de Ciências de Paris um artigo sobre os diâmetros do Sol e de Mercúrio durante o fenômeno. Em 1878, publicou uma memória sobre as manchas e duração do movimento de rotação de Marte, trabalho que imortalizou seu nome, que denomina uma das crateras da Lua e outra de Marte.

Essa batelada de trabalhos de relevância mundial realçou o grande valor do cientista, de modo que Cruls passou a ser respeitado como homem da astronomia. Assim, logo que voltou da viagem à Europa, foi nomeado diretor adjunto do Observatório Imperial.

Por essa época, conheceu a professora carioca Maria Margarida de Oliveira, com quem se casou no dia 26 do "mês das noivas" de 1876. Ela foi sua companheira para o resto da vida e tiveram cinco filhos, deixando uma farta prole para a posteridade.

Um de seus filhos, Gastão Luiz Cruls (1888-1959), era médico sanitarista, mas destacou-se nas letras como escritor muito renomado e requisitado nas décadas de 1920 a 1950. Escreveu contos e romances, mas é mais conhecido pelas descrições de cenários urbanos e da Amazônia. Integrou a expedição do Marechal Cândido Rondon às Guianas, por exemplo.

Mas, voltando ao pai, em 1881, logo após ser naturalizado, o que era um pré-requisito para o posto, Luiz Cruls aceitou o cargo de diretor do Observatório Astronômico Nacional, talvez a mais importante instituição de estudos e pesquisas do Brasil daqueles tempos. Era esse órgão que definia a hora certa e observava o clima e movimentos geológicos, entre tantas outras atividades.

A essa altura, ele já podia se considerar brasileiro, carioca da cepa, com todos os mesmos sentimentos que assomavam seus novos conterrâneos. Em muitos de seus textos falava de "sentimento nacional", "brasilidade" e apoiava movimentos liberalizantes, em especial pelo fim da escravidão.

D. Pedro II se tornou seu discípulo no Observatório, no Morro do Castelo, onde dava vazão ao seu gosto por astronomia. O imperador chegava sozinho às instalações da instituição, onde a família Cruls morava, e batia levemente na porta — toc-toc-toc...

O dono da casa, como de costume, perguntava:

— Quem é?

Do lado de fora, o outro respondia:

— É o Pedro. — E só entrava após ser autorizado.

Ficava ali, o Pedro de Alcântara, como aluno comportado, arriscando algumas perguntas ou ficando quieto, quando sentia concentração no mestre. E partia quando as questões domésticas, como as refeições em família, por exemplo, se aproximavam. Mesmo assim, virou gente de casa, pois tinha o carinho de toda a prole de Cruls.

Essa proximidade, contudo, não teve reflexo algum para o astrônomo quando foi proclamada a República, em 1889. Muito pelo contrário. A Assembleia Constituinte fixou, na primeira Constituição Federal, a demarcação dos limites da nova capital. Dois anos depois, o presidente

Floriano Peixoto criava a Comissão Exploradora do Planalto Central e Cruls foi designado para chefiá-la.

Ele próprio não sabia direito o que encontraria, embora, como cientista, tivesse muito mais informações a respeito da região a ser percorrida que a maior parte da população brasileira.

A primeira viagem começou de trem, do Rio de Janeiro a Uberaba, em Minas Gerais, até onde os trilhos chegavam. Depois, os componentes da missão percorreram exatos 5.132 km em lombo de animais, carregando toneladas de caixas com alimentos, vestimentas, livros e, principalmente, equipamentos.

Professor da Escola Militar por dezenove anos, diretor do Observatório, cientista de larga produção e tantas outras atividades não tiravam de Luiz Cruls o ânimo para tarefas de campo como as que realizou no Planalto Central. Depois, já no início do século XX, participou da comissão que fez as medições de fronteira com a Bolívia, em vista da compra, pelo Brasil, do território do Acre.

Luiz Cruls faleceu em 1908, vítima de malária e vários outros males contraídos em suas andanças por Goiás, pelo Acre e por outras partes do Brasil. Morreu na França, onde havia ido se tratar, mas fez questão de ser sepultado no Brasil, desejo cumprido pela família.

Vista da vila de Santa Luzia, hoje cidade de Luziânia (GO), que viveu o ciclo do ouro até o início do século XIX. Foi visitada pela 2ª Turma na etapa da viagem em que a Comissão percorreu trajetos entre Pirenópolis e Formosa

O que Cruls encontrou

Muito além dos bandeirantes, comerciantes e bandoleiros, a região do Planalto Central do Brasil já havia sido vasculhada por inúmeros cientistas importantes, desde a segunda década do século XIX. O tcheco Johann Emanuel Pohl, o francês Auguste de Saint-Hilaire e o alemão Carl Friedrich Philipp Von Martius são alguns dos exemplos mais ilustres desses viajantes, que, pelos estudos que aqui fizeram, tantos legados deixaram à humanidade.

Com propósitos diferentes e já no Brasil do Império, também andou pela região o engenheiro e diplomata brasileiro Francisco Adolfo Varnhagen, mais conhecido como visconde de Porto Seguro. Sua viagem de seis meses serviu para sugerir um triângulo entre três lagoas existentes no município de Formosa (GO) como possível localização de uma nova capital.

Quando Luiz Cruls e sua equipe chegaram ao altiplano central brasileiro, portanto, os descampados ali existentes já estavam repletos de trilhas, caminhos e comunidades instaladas. Além dos índios nativos, outros humanos adentraram rumo a oeste desde a chegada dos portugueses, mas em especial a partir de fins do século XVII. Estima-se que na região percorrida pela comissão já houvesse, então, uma população de mais ou menos um milhão de almas.

As Estradas Reais eram caminhos oficiais, desde os anos 1700. Nelas, em locais estratégicos, ficavam os postos fiscais e as contendas, que faziam a coleta de impostos e fiscalizavam tudo que por elas passasse. Essas eram, também, as estradas de boiadas, que levavam o gado criado na região para os grandes centros consumidores, pois já à época a província de Goiás era o maior produtor de gado bovino do país.

Existiam, ainda, as trilhas abertas por contrabandistas, que cortavam serras, vales e chapadas da região, sobre as quais a corte portuguesa, e depois as autoridades brasileiras, não tinham controle. Esses caminhos foram de largo uso durante o ciclo goiano do ouro, que se exauriu nas primeiras décadas dos anos 1800.

Alguns historiadores constatam que mais de 40% do ouro extraído em Goiás nos cem anos fortes do ciclo dourado naquela província (1722/1822) eram contrabandeados para a Bahia. Ou seja, viajavam sem pagar impostos, e não se tem ideia do percentual dessas preciosas cargas que tomou o rumo da Europa, também na moita, sem deixar rastros, muito menos monetários.

De qualquer modo, boa parte desse metal foi utilizada no luxuoso adorno das igrejas baianas, acentuadamente na capital e nas cidades do Recôncavo Baiano. Só em Salvador, existem hoje 352 igrejas católicas, grande parte das quais foi erguida naquele período. Os interiores desses templos eram praticamente pintados a ouro.

Segundo Bismarque Vila-Real, um dos coordenadores do projeto Estrada Real, essas ramificações existiam como caminhos de ligações alternativas. Ele afirma:[2]

> A estrada principal, que passava por Corumbá e Pirenópolis, tinha várias ramificações, que serviam de alternativas para as populações da região ou viajantes que por ali passavam. Essas conexões levavam tanto ao Nordeste, para a Bahia e Pernambuco, como para o Sudeste, ou seja, São Paulo, Minas Gerais e Rio de Janeiro.

De uma coisa, entretanto, Cruls e seus companheiros não tinham a menor dúvida: estavam no rumo certo. Após a volta, logo no início de seu relato, Cruls contava:[3]

> Não é nova a ideia de transferência da capital do Brasil: vemo-la mencionada em várias publicações, das quais as de datas mais antigas é o jornal *Correio Braziliense*, do qual reproduzimos adiante um artigo publicado em 1808, há quase um século. Mais tarde, vamos encontrá-la na obra de dois volumes do visconde de

Porto Seguro, de que também damos alguns extratos. Convém notar que os autores que se têm ocupado com esse projeto são unânimes em considerar a zona onde têm mananciais os rios Araguaia, Tocantins, São Francisco, Paraná, isto é, sobre o Planalto Central, por cerca de 15° de latitude austral, como sendo a mais vantajosa, sob todos os pontos de vista.

Há evidências de que, em verdade, o ente humano se infiltrou no cenário do Brasil central a cerca de 12 mil anos. São esqueletos, inscrições rupestres, utensílios e ferramentas localizadas em sítios arqueológicos. Pesquisadores, como o arqueólogo Altair Sales Barbosa, da Pontifícia Universidade Católica (PUC) de Goiás, identificam as fases com os nomes dos locais onde foram feitas as descobertas.

Em seu livro *Andarilhos da Claridade — Os primeiros habitantes do Cerrado*[4], Altair aponta forte movimentação humana nesse alongado período em todo o continente americano. No que se refere ao Cerrado, ele escreveu:

> Parece claro que essas movimentações humanas estejam relacionadas com modificações de ordem ambiental. Mesmo que essas sejam mediatizadas pela cultura. Os sistemas culturais são, de certa forma, desestruturados e as populações são impulsionadas a buscar novas formas de planejamento ambiental e social e alternativas de sobrevivência.

Já o historiador Paulo Bertran[5] classificou esses períodos no decorrer dos tempos. Segundo ele, essas fases são a *Paranaíba*, de caçadores que viveram em época mais fria e úmida que a atual; a *Serranópolis*, que durou até os anos 1000 de nossa era; e a *Jataí*, do último milênio, em que os indígenas produziam utensílios variados, objetos de cerâmica e já se alimentavam de produtos agrícolas, não apenas da coleta. Nos tempos modernos, os primeiros habitantes da região, pois, eram os índios. No caso, eram da etnia macro-gê, diferente das existentes no litoral brasileiro, a maior das quais era a tupi, que ficou ainda maior ao se juntar com a guarani. Depois, vieram os brancos de várias origens e os negros trazidos da África por comerciantes, mercenários ou pela corte portuguesa.

O Tratado de Tordesilhas, entre Portugal e Espanha, foi assinado em 1494. Seis anos antes, portanto, de o Brasil ser encontrado. Mas o texto daquele acordo dividia o mundo para os dois países e valia para áreas "já descobertas ou a descobrir", de modo que a Portugal caberiam terras a leste da linha fixada, e as a oeste seriam da Espanha, nas Américas.

Os bandeirantes estenderam ao máximo essa linha no rumo oeste, até o ponto em que os espanhóis se deram conta desses avanços e pediram para conversar. Assim, surgiu o Tratado de Madri, de 1750, que redefiniu a partilha do globo entre eles. Mas, a essa altura, as fronteiras portuguesas já chegavam, de um modo amplo, aos que são hoje os limites do Brasil.

Quando Cabral ancorou na costa do Pindorama, sua equipe não sabia direito onde estava e tinha muito menos ideia da dimensão do território em que acabava de chegar. E nem lhe passava pela imaginação, pelos escritos

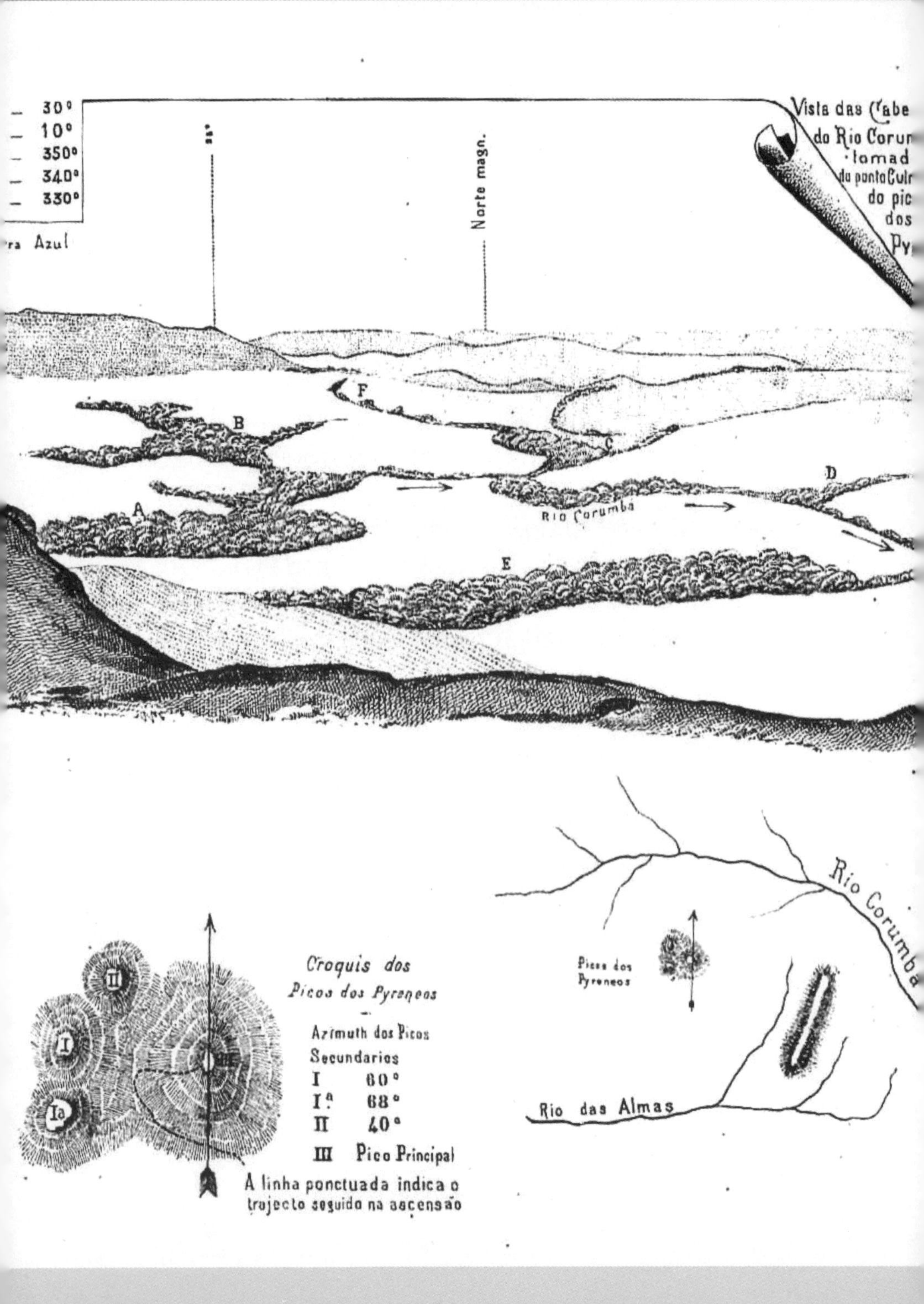
30°
10°
350°
340°
330°
Azul
Norte magn.
Vista das Cabe
do Rio Corun
tomad
da ponta Culr
do pic
dos
Py
A
B
C
D
E
F
Rio Corumbá
Croquis dos
Picos dos Pyreneos
Azimuth dos Picos
Secundarios
I 60°
Iª 68°
II 40°
III Pico Principal
A linha ponctuada indica o
trajecto seguido na ascensão
Picos dos Pyreneos
Rio Corumbá
Rio das Almas

O grupo todo da Comissão em pose solene para foto em Pirenópolis. Cruls é o segundo da esquerda para a direita, em pé, de chapéu preto

AO LADO
Vista das cabeceiras do rio Corumbá, tomada do ponto culminante do pico dos Pirineus, próximo a Pirenópolis. O Corumbá é importante formador do rio Paranaíba e, portanto, da Bacia do Paraná/Prata

Acampamento às margens do rio Paranaíba na primeira fase da viagem, no trecho de Uberaba (MG) a Catalão (GO)

Sobre o pico dos Pirineus. Foto de um momento ao qual Cruls dava grande valor, por ter sido naquele ponto que ele comprovou a real altura do pico, contrariando as medidas dadas como certas até então

deixados, o que seria português e o que seria espanhol na imensidão que então pisava.

Vale lembrar que a linha de Tordesilhas cortava o Brasil de hoje mais ou menos ao meio, com um traço imaginário, em linha reta de norte a sul. As referências que nos dias atuais se apontam como os extremos estão nas cidades de Belém, no Pará, e Laguna, no litoral de Santa Catarina, em pontos precisos.

Por coincidência, ao cruzar o centro-oeste, essa linha passava a exatos 72 quilômetros a oeste de onde, em nossos dias, está a praça dos Três Poderes, em Brasília, construída 460 anos depois. O atual Distrito Federal, demarcado por Cruls, ficaria, de todo modo, no lado português. No Brasil, pois.

A partir de 1530, ou seja, três décadas após o descobrimento, os portugueses foram tomando conta de seu pedaço e de um bom bocado a mais. Na captura de índios e em busca de ouro, prata e diamantes, bandeiras e entradas não tinham limites. O tão cobiçado e sonhado Eldorado poderia muito bem estar logo ali, em qualquer ponto dessa imensidão, inclusive no lado espanhol.

Diante da escassez de força de trabalho, entre 1.600 e 1.630 bandeirantes paulistas desceram pesadamente para o sul, para capturar índios guaranis. Os que não foram aprisionados, foram mortos. Algumas décadas depois, porém, suas atenções se voltaram para o centro-oeste, onde havia índios da etnia macro-gê, com língua e cultura diferentes dos habitantes do litoral.

A ordem geral era buscar índio e ouro no "além Tietê", atingindo o vale do Paranaíba/Paraná e, depois, os do São

Francisco, do Tocantins e do Araguaia. A primeira bandeira a penetrar o território goiano foi a de Domingos Luís Grou, um português que, desde antes do início de sua viagem, já era casado com uma índia. Mas, em 1593, ele e seu grupo foram mortos por indígenas hostis no sertão goiano.

Os brancos chegaram inicialmente com expedições para o interior do país, chamadas de "bandeiras" ou "entradas", de acordo com sua forma de organização. As primeiras eram oficiais, ou seja, tinham a supervisão e a grana de Lisboa. As outras eram iniciativas privadas, que no mais das vezes ignoravam as autoridades e fronteiras estabelecidas.

Boa parte desses viajantes acabava ficando por ali. E a farta distribuição de terras das sesmarias levou gente de todo o canto — e de todo matiz — para criar fazendas ou tentar enriquecer com ouro e pedras preciosas. Em Portugal, a sesmaria era uma forma de ceder terras para a produção agropecuária. No Brasil, virou pura e simples doação a apaniguados da corte.

A maioria dos brancos era de homens solteiros, que muitas vezes se casavam com índias. O mesmo ocorria com os escravos negros, homens e mulheres, que tantas vezes também levavam o contato com índios e índias para o lado do amor e do sexo, e assim surgiam crianças diferentes.

A fácil interação dos portugueses e seus descendentes com os nativos, no Brasil inteiro, sempre chamou a atenção de historiadores. Sérgio Buarque de Holanda, por exemplo, escreveu:[6]

> Procurando recriar aqui o meio de sua origem, fizeram-no com uma facilidade que ainda não encontrou,

> talvez, segundo exemplo na história. Onde lhes faltasse pão de trigo, aprendiam a comer o da terra (...) Habituaram-se também a dormir em redes, à maneira dos índios.

Foi só no início do século XVIII, porém, que o movimento para o oeste ganhou vulto. Em 1722, foi organizada a primeira bandeira de Bartolomeu Bueno da Silva Filho, conhecido como Anhanguera II, cuja função primordial era expandir as fronteiras oeste do que viria a ser o Brasil. A busca de ouro e pedras era, no fim das contas, uma boa justificativa oficial para as viagens de alongamento territorial.

Esse bandeirante era filho de Bartolomeu Bueno da Silva, o Anhanguera, conhecido pela devastação e pelas verdadeiras chacinas que promoveu no vale do rio São Francisco. Seu nome quer dizer "cuspidor de fogo", por ele usar o artifício de incendiar óleo para amedrontar os indígenas. E era chamado quando os portugueses queriam usar força bruta, como no caso do Quilombo de Palmares, contra o qual ele comandou a derradeira ofensiva.

No entanto, seu filho herdou apenas a profissão do pai, não sua truculência. Ao contrário, era pessoa dócil com seus comandados, brancos e negros, e com os índios com os quais se deparava. Há um caso, ocorrido ao norte de onde é hoje a cidade de Formosa, muito narrado na historiografia. Num avanço precursor, distante do acampamento da expedição, ele impediu que seus homens revidassem a um ataque de índios crixás. Um de seus homens ficou gravemente ferido, mas ele ganhou a simpatia dos indígenas.

Ele enfrentou muita dificuldade para chegar à região onde hoje está Brasília, o que ocorreu, em verdade, por erro, teimosia ou pura persistência do bandeirante. Depois de atravessar o rio Paranaíba, pelas previsões, sua tropa deveria seguir rumo oeste, mas ele determinou o rumo norte, indo bater nos chapadões do Planalto Central. E por ali perambulou por quase três anos.

Em seu livro *História da terra e do homem no Planalto Central*, Paulo Bertran revela escritos do alferes Silva Braga, cronista da trupe de Anhanguera, em que narra essa etapa da viagem desta forma:[7]

> Demos com umas grandes chapadas, com falta de todo o necessário, sem matos nem mantimentos, só sim com bastantes córregos, em que havia algum peixe: dourados, traíras e piabas, que foram todo nosso remédio; achamos também alguns palmitos que se chamam jaguaroba, que comíamos assados, e ainda que seja amargoso, sustenta mais que o mais.

Nessa segunda expedição, em 1726, Anhanguera II fundou Vila Bela da Santíssima Trindade, no noroeste do Mato Grosso, e Vila Boa (cidade de Goiás), em Goiás. E descobriu muito ouro. Suas duas bandeiras atraíram para a região milhares de brancos e seus escravos negros.

Dez anos depois do surgimento da primeira povoação, nas minas de Vila Boa, por exemplo, havia ali mais de 10 mil escravos em frenética atividade. Dessa miscigenação surgiu o *cerratense*, designação criada por Bertran. Anteriormente, a gente dos cerrados era chamada de "população tradicional" pelos estudiosos, uma classificação genérica, pouco precisa.

Darcy Ribeiro[8] constata que, em muitos casos, esse convívio era quebrado abruptamente e os índios se embrenhavam nos ermos, reorganizavam a aldeia e voltavam a atacar os invasores. Essa prática durou até poucas décadas atrás, e, a rigor, ainda existe no norte do país, onde até nossos dias vivem grupos isolados e arredios.

Ribeiro lembra que, quando se iniciaram as missões católicas de evangelização de grupos indígenas, já havia sertanejos (filhos dos primeiros acasalamentos) por perto. Os padres chegavam sozinhos ou com duas, três pessoas. Aos poucos, porém, introduziam caboclos que viviam por perto, de modo a facilitar a aproximação e, ao mesmo tempo, retirar dos índios a hegemonia nas comunidades.

O passar dos séculos temperou esse ser humano de cor amarronzada, movimentos mais lentos, fala macia, vocabulário de muitos termos criados ou adequados ao ambiente. Era uma profunda interação com a natureza, com o meio que o hospedava e ainda hoje hospeda, apesar do avanço do agronegócio sobre suas roças e sua cultura.

Mas essa gente, que buscava a vida sossegada, deparou-se, ao longo da história de Goiás, por exemplo, com a figura do coronel. Este era o dono de terras, de gado, de bons cavalos, de casarões, de capangas armados, do trabalho do sertanejo, de abuso sexual com as sertanejas e dos governos locais.

O coronel é, em verdade, filho das bandeiras, entradas e das sesmarias, que eram terras tidas como abandonadas pelos detentores do poder. Muitos bandeirantes recebiam terras da corte como pagamento de serviços de captura ou extermínio de índios. Outros, assim como os chefes de entradas, apenas tomavam posse de terras, formavam suas fazendas e se diziam donos das terras.

Além disso, ainda no século XVIII, houve distribuição das tais sesmarias em grande quantidade em Goiás. Muitos fidalgos de outras províncias que tinham amigos na corte recebiam graciosamente grandes nacos de terras, como forma de ocupar territórios e afastar, aprisionar ou matar os índios. E quem sabe achar ouro e pedras preciosas.

Se essa gente plantava algo ou não, era outro assunto. As fronteiras de suas posses eram medidas no bico do nariz empinado, apontando para alguma referência geográfica lá adiante, fazendo confluência com isso ou aquilo, como dito em escritas cartoriais, e assim se formavam as fazendas goianas.

Os novos donos do sertão obtinham também autorização para abrir estradas para carros de boi, tropas e boiadas. Tinham que manter as estradas por conta própria, mas, em compensação, podiam cobrar pedágios de quem por elas passasse.

Nessa época, depois de Vila Boa, nasceram outros centros auríferos, como Pirenópolis, Corumbá, Luziânia, então Santa Luzia, e Cavalcante, primeiro povoamento na região da chapada dos Veadeiros. Na chegada da missão Cruls, contudo, todos esses garimpos haviam exaurido o precioso minério.

O historiador Nasr Fayad Chaul[9] escreveu que a literatura goiana conta tão bem (ou melhor) histórias, dramas, abusos, conflitos, amores, modos de vida, falas, jeitos e sensações das relações humanas daquele período quanto a própria historiografia. E não é coisa só lá de trás, de séculos passados. Resquícios do coronelismo ainda rondam os sertões goianos.

A integração de raças se dava de várias outras formas, a começar pela língua e outros traços culturais típicos. Essa mescla foi lapidando um tipo de sertanejo com um falar diferente do português de Portugal, mas tampouco era tupi, quando a relação era com índios do litoral, ou gê, quando no interior, os dois principais troncos linguísticos locais.

De todo modo, a incorporação de novos vocábulos, vindos tanto dos índios quanto dos negros, tornou a língua mais rica. Essas diferenças eram bem acentuadas e persistem até hoje. Mas, ainda na década de 1970, o pesquisador paulista Bariani Ortêncio, goiano adotivo, publicou o *Dicionário do Brasil central — subsídio à filologia*, fruto de muitos anos de pesquisa. É um rico compêndio com mais de 14 mil verbetes que ele considerou serem da própria região ou que, mesmo sendo de uso nacional, ali ganharam algum novo significado.

Embora sempre mantendo o português, um sotaque diferente e principalmente um vocabulário muito próprio chegavam a dificultar a comunicação. Coisas simples, como o sufixo "im", em substituição a "nho" e "nha", por exemplo. A frase "*coloca esse balde ali no cantinho*" se transforma em "*senta u bardi nu cantim*".

De fato, por exemplo, sobre o convívio de brancos, índios e negros, o escritor goiano Carmo Bernardes, no romance *Numila*, escreve:[10]

> A história que levantei dá conta que bandeirantes trouxeram uns índios da nação carijó (...) Fugiram, também, na proteção de amigos nos xarentes, levas de escravos das senzalas de São José do Tocantins, lavras de Traíras, e outros lugares. Do São Félix foram muitos. Só de uma vezada, de um senhor do São José, fugiram, e nunca foi possível pegar de volta, uns cinquenta e tantos, machos e fêmeas, capitaneados por um negrão que deixou enorme descendência, chamado Mané Jirau.

O também goiano Bernardo Élis, em grande parte de sua vasta produção de contos e romances trata do coronelismo e do linguajar de seus conterrâneos, como neste trecho do conto "Veranico de janeiro":[11]

> — Ah, fala para o seu pai que abati o preço do arroz na conta dele, viu.
>
> — Não, seu coroné capitão, isso que nhô pai... — O menino resistia com unhas e dentes: que não podia ser isso de jeito nenhum, que estava vendendo arroz do gasto da casa para comprar remédio, que a mãe estava perrengada, que nhô pai não lograva ninguém dessa vida e é-vinha despois acertar com capitão.

O coronel goiano tinha a forma de dominação que lhe servia, por bem ou por mal. Quem não dançasse ao ritmo de seu chicote por certo deitaria com o chumbo da papo-amarelo, da garrucha, da espingarda ou da pistola. Mas havia, digamos, um aspecto que poderíamos ver como positivo nessa relação: bem ou mal, o sertanejo continuava no sertão, como era de seu gosto.

Em fases posteriores à missão Cruls, a partir da virada dos séculos XIX para XX, são muitas as novas interferências, forçando uma espécie de atualização desses traços. Novos elementos entraram nas relações sociais goianas. Na década de 1930, veio a construção de Goiânia, a nova capital do estado, da ferrovia para São Paulo, de rodovias e pontes. Trinta anos depois, surgiu Brasília.

Nessas décadas desde então, com a quebra do monopólio da pecuária e a introdução da agricultura extensiva, chegou muita gente dos estados do sul, tratada genericamente por "gaúchos". Eles introduziram novos hábitos, novos vocábulos e outros elementos que aos poucos foram incorporados.

Dizem alguns estudiosos que daqui a dez ou vinte anos essas novidades culturais já deverão ter entrado também na composição genética das novas gerações cerratenses. São comuns nas fazendas ou cidades menores e pequenas comunidades da zona rural filhos branquelos de mães solteiras. E frequentes registros de casamentos de "gaúchos" com nativas e vice-versa.

O grande fazendeiro de hoje muitas vezes nem aparece em suas fazendas. Seu capataz faz as suas vezes. Mas há uma diferença: dessa nova fazenda o sertanejo já foi mandado embora, já foi excluído; sua vida vai definhando no ritmo da devastação de seu ambiente. A máquina substitui as mãos no plantio e na colheita. Um único tratorista dá conta de áreas enormes.

Com aquele que deixou a roça vai para não sei onde todo conhecimento armazenado durante séculos, como o hábito de tirar produtos do Cerrado sem destruí-lo. Ou de criar seu gado e plantar suas roças sem impor o domínio de gramíneas exóticas. São, de fato, modos diferentes de encarar não apenas esse bioma, mas de vislumbrar no horizonte uma sociedade menos agressiva, menos gananciosa, mais preocupada com o ser humano.

Tudo muito diferente do que Cruls e seus companheiros preconizavam para essas plagas por onde passaram.

Morro e pico dos Pirineus, em Pirenópolis. Toda essa escarpa foi escalada por Cruls, e pelos demais membros da Comissão, para comprovar a altura do pico. Só depois de cumprida essa tarefa é que a caminhada para demarcação do quadrilátero começou

Jardim florido

Da riqueza e da beleza que estão por detrás dos paus retorcidos, campos limpos, campos sujos, campos rupestres e matas do Cerrado pouca gente tinha a dimensão exata. Já o viajante francês Auguste de Saint-Hilaire, que passou vários anos no Brasil, percorreu os cerrados por longo tempo, a partir de 1819, e escreveu que essa região do Planalto Central "*é um jardim permanentemente florido*".

Sua observação é pura, verdadeira e deve ser repetida séculos a fio, década após década, ano após ano, enquanto existir alguma nesga de Cerrado para admirarmos. Canela-de-ema, quaresminha, pau-santo, caliandra, pepalanto, sempre-viva, orquídeas, bromélias, cada uma ao seu tempo, com suas flores encantadoras.

Os buritizais, ou veredas de buritis, sempre úmidas e floridas, são casos à parte. Onde houver alguma, mesmo nos períodos de seca, há umidade no solo. O buriti é uma das palmeiras do Cerrado com grande potencial alimentício, com grande função ecossocial, como vários outros tipos encontrados nesse rico bioma.

No Relatório Cruls, o médico Antônio Pimentel faz um dos mais belos e detalhados relatos de que se tem notícia dessa palmeira:[12]

> O buritizal tem a superfície circular ou oblonga, ligeiramente côncava, com uma depressão linear no centro em forma de rego; é coberto em toda sua área de um tapete de verdejante relva, homogênea na altura e na cor, emprestando-lhe por este fato o aspecto risonho de um prado artificial onde o trabalho do artista é objeto de cuidados constante e ternos.
>
> O solo pantanoso do buritizal, extremamente compressível e movediço, apresenta-se como perigoso terreno lamacento, meio líquido, sob os enfeites da graciosa combinação de buritis de diferentes alturas e idades, ora em grupos magníficos de verdura fresca, ora indistintamente isolados, ora arruados e indicando por sua direção o curso d'água ali originado sempre em grande abundância.
>
> O buriti, a "árvore da vida" do padre José Gumila, a *Mauritia vinifera* dos botânicos, é uma bela palmeira dos sítios úmidos, de cerca de vinte e cinco a quarenta centímetros de espessura e nove a dez metros de altura, com folhas grandes em forma de leque aberto na extremidade livre, de longo e resistente pecíolo.

> O tronco presta para fazer casas e aquedutos de longa duração, a folha para cobrir tão bem como a telha do melhor fabrico, e as nervuras das folhas novas, não desabrochadas, dão a "seda do buriti", que serve para tecidos diversos.
>
> Antes de se entreabrir na palmeira masculina a cobertura delicada das flores, e só nesse período de metamorfose, o tronco provê-se de uma fécula parecida com o sagu, e que endurece formando pães delgados e redondos; da seiva fermentada faz-se o vinho de palma, com que os índios costumam se embriagar (...)
>
> Além de todas as qualidades de árvore providencial, o buriti tem a propriedade (como se diz em Goiás) de chamar água para o local onde vegeta, o que motivou o costume de só excepcionalmente se podar uma dessas árvores.

De outras palmeiras, como a guariroba (ou *gueroba*) e o camargo, já se retiravam os palmitos que compõem a culinária cerratense. Juntam-se a essas dezenas de plantas frutíferas, como pequi, mangaba, jurubeba, bacupari, bacuri, jatobá, amescla, araticum, caju, cagaita, graviola, jatobá, murici e tantas outras que têm forte importância como alimento, medicamento e fonte de renda.

São cerca de cem as plantas de uso medicinal, outro cento de usadas no artesanato e pelo menos 220 que servem à produção de mel de abelha. Sem falar na feitura de conservas doces e salgadas, geleias, tortas e vários tipos de farinhas. São alimentos do ente humano e dos animais. A lobeira, por exemplo, tem esse nome por seu fruto ser o predileto do lobo-guará.

Estima-se, porém, que no Cerrado brasileiro existam mais de 10 mil espécies vegetais, das quais 4.400 são endêmicas. É uma diversidade de plantas tão exuberante que pouco delas se conhece profundamente no Brasil, como, aliás, ocorre também com a flora amazônica, por exemplo.

Contudo, uma forte corrente de pesquisadores defende, com argumentos bastante consistentes, que o Cerrado é o bioma *mater* da maior parte da cobertura vegetal do território brasileiro.

Resumidamente, a história tem capítulos já bastante conhecidos pela ciência e pode ensinar com clareza o que se passou desde a origem do universo. Há 65 milhões de anos, porém, a camada superficial da Terra era formada por dois grandes blocos, que naquele período se separaram. Quem nunca tentou, no mapa, ajuntar as duas peças de quebra-cabeça nos recortes da África e da América do Sul?

A América do Sul descolou-se da África, formando um oceano entre os dois continentes. Naquele tempo, os rios que cortam o território brasileiro corriam no sentido leste-oeste. O soerguimento da cordilheira dos Andes inverteu o regime hídrico da região. Alguns, é certo, ainda buscam o sentido antigo. O Tietê, em São Paulo, nasce perto do mar, mas corre a oeste, e vai bater no Paraná, que vira Prata e volta ao oceano Atlântico, mais ao sul.

Há cerca de 20 mil anos (ontem, portanto, já que falávamos de 65 milhões de anos) teria ocorrido um movimento telúrico que levantou o fundo do Atlântico, contendo o desaguadouro do rio Amazonas. Assim, suas águas e as de seus afluentes alagaram vastas extensões do cerrado que ali existia, e, desta forma, fizeram surgir a majestosa floresta Amazônica.

Segundo o geomorfologista Aziz Nacib Ab'Saber,[13] no entanto, mudanças de clima ocorridas no final da era geológica do Pleistoceno, entre 12 mil e 18 mil anos atrás, foram as causas da mudança. Houve aquecimento da região tropical naquele período, favorecendo o avanço da floresta densa, aprumada e frondosa sobre a vegetação rala, mais baixa e retorcida dos cerrados.

O Cerrado dos primeiros tempos da ocupação, e que a missão Cruls encontrou, era o mesmo que ainda cobre uma parte do território nacional e tem enorme importância para o Brasil desde muito antes de os portugueses aportarem por aqui. Em verdade, até o período citado por Ab'Saber, esse era o bioma predominante no Brasil, em extensão de área ocupada.

Mesmo assim, ainda em nossos dias esse é considerado um bioma de segunda classe. Não só pelas pessoas comuns, que podem não ter sido informadas na escola sobre sua importância, mas também por setores do centro do poder, de onde vêm as políticas públicas oficiais.

Ao aprovar a atual Constituição Federal, em 1988, por exemplo, a Assembleia Nacional Constituinte determinou a condição de patrimônio nacional à floresta Amazônica, à mata Atlântica, à serra do Mar, ao pantanal Mato-grossense e à chamada zona costeira.

Apesar do esforço de parlamentares constituintes, ficaram de fora da nova Carta os biomas Cerrado e Caatinga.

Ponte sobre o rio Areias, usada então para travessia de tropas, boiadas e carroças

Ângulo aberto da ponte sobre o rio das Almas, que nasce próximo da Serra dos Pirineus e corta a cidade de Pirenópolis. Esse rio corre no sentido sul-norte e pertence à bacia do Tocantins, cuja foz ocorre próximo de Belém, no Pará

Acampamento junto às nascentes do rio Pindaíba. Pode-se observar, ao centro, um guarda armado e devidamente fardado. E, ao lado direito, o ajuntamento de animais da tropa

Mina de diamante a caminho da Serra dos Cristais. Após o fim do ouro de Pirenópolis, Santa Luzia e outros lugares, a busca por materiais preciosos no solo e subsolo prosseguiu. Surgiu, assim, nas décadas seguintes, o ciclo do cristal de quartzo onde hoje está a cidade de Cristalina (GO)

E desta forma mesmo, grafados com a letra inicial maiúscula, como se faz com os demais biomas. Esse alijamento se deu principalmente por ação articulada de grandes proprietários rurais conservadores, à época representados pela União Democrática Ruralista (UDR). Depois, foi preciso uma emenda constitucional percorrer longo trajeto e muitos anos para sanar o erro.

De qualquer modo, a imponência da Amazônia se destacou entre os ecossistemas de toda a área que veio a ser abarcada pelo Brasil. O pesquisador Carlos Eduardo Mazzetto Silva[14] afirma:

> No imaginário da sociedade brasileira predomina a imagem de uma vegetação rala, de árvores tortas, sem beleza, sem utilidade e sem valor intrínseco — seja social, econômico ou ecológico.

Contudo, a relação do cerratense com seu ambiente sempre foi profunda, como constata Cruls. Mazzetto Silva acrescenta:

> *Os povos do Cerrado são herdeiros das antigas culturas indígenas que aprenderam a conviver com o ecossistema. Sua relação com o ambiente segue outra racionalidade, que nos recusamos a valorizar.*

Vou citar um exemplo mais recente. Os índios kraôs de Goiás (e do agora estado do Tocantins) sofreram os efeitos do contato com o branco. Até a década de 1980, suas aldeias estavam mambembes, o alcoolismo tomava a vida de seus homens e mulheres. Muitos chegavam a mendigar ou se prostituir em cidades do interior.

Um dia, um pesquisador da Embrapa (Empresa Brasileira de Pesquisa Agropecuária) localizou nos refrigeradores de seus laboratórios algumas espigas e espécies de milho cultivadas no passado pelos kraôs. Juntamente com a Fundação Nacional do Índio (Funai), os técnicos reintroduziram aquele milho nas comunidades indígenas daquele grupo.

Em poucos anos, os kraôs reorganizaram suas aldeias e passaram a ter uma vida digna, conforme sua cultura. Ou seja, a cultura daqueles índios girava em torno do milho, que lhes foi retirado pelo ocupante, desorganizando a vida local. Hoje dá gosto de ver as aldeias kraôs.

A fauna característica do Cerrado, de emas, seriemas, lobos-guará, felinos, cervídeos, tatus, antas, araras, tucanos e centenas de outros tipos de animais, já rareava celeremente ao tempo da missão Cruls. Formosa, por exemplo, chamava-se originalmente Arraial dos Couros, por ser ali um entreposto de comércio de peles de animais.

Havia o couro de onça, citado por Cruls em seu relatório, mas o volume maior era de couros de veados, chegados de vários pontos da região, especialmente da chapada dos Veadeiros, e vendidos a fabricantes de calçados e arreios de animais.

Eram de tal modo dizimados esses animais (os veados) que o próprio nome da chapada é uma espécie de homenagem aos assim chamados cachorros veadeiros, cães farejadores, indispensáveis companheiros dos profissionais de caçadas.

Quanto aos recursos hídricos, Cruls registrou em seu relatório que a geologia faz que as chapadas de altitude na região central do País funcionem como tanques que armazenam água para abastecer córregos, rios e o próprio lençol freático o ano inteiro. Entretanto, a retirada da vegetação nativa faz essa água minguar ou até sumir.

Ele tratou a questão das águas de modo destacado, cuidadoso. Sua preocupação era demonstrar a abundância do líquido tanto para suprir as necessidades da população do futuro Distrito Federal como para uso na indústria que surgisse nas cercanias, a começar pela da construção civil.

Assim descreve os rios e faz referência a umas tabelas que havia feito, com o detalhamento do sistema hidrográfico da região:[15]

> As tabelas que vão publicadas mais adiante contêm os dados sobre a medição das despesas dos rios da zona explorada, e o diagrama anexo apresenta esta despesa diária em milhões de litros.
>
> Por aí vê-se que as águas são abundantíssimas mormente na parte meridional da zona demarcada, tornando-se fácil abastecer uma cidade, por mais populosa que seja, à razão de mil litros d'água por dia e por habitante.
>
> A qualidade das águas desses diversos rios varia de um a outro. Em geral, pode-se considerar as águas do sul como sendo melhores que as do norte, em relação à serra das Divisões e as dos afluentes do Corumbá como superiores às do São Bartolomeu.

Foto da entrada da vila de Formosa, que surgiu no início do século XVIII, logo após Anhanguera II ter criado Vila Boa da Santíssima Trindade (Cidade de Goiás). Formosa nasceu com o nome de *Arraial dos Couros*, pelo fato de ser um entreposto de comércio de peles de animais silvestres, especialmente onças e veados

Acima de mil metros

Como no restante do país, as aglomerações urbanas foram a principal marca da ocupação da região central. Como observa Darcy Ribeiro,[16] a ideia da urbanidade sempre atraiu o brasileiro, desde o indígena aqui presente há milhares de anos. Os próprios índios viviam em aldeias, onde baseavam todas as suas atividades sociais, dos partos e casamentos às festas, aos ritmos e às danças. Saíam para caçar, coletar alimentos ou mesmo guerrear, mas voltavam às suas vilas.

As cidades, vilas, arraiais e corruptelas que a missão Cruls encontrou em seus trajetos — algumas por ela usadas como pousos ou bases — surgiram por razões diferentes. Umas ainda ostentavam a riqueza do ciclo do ouro, que, embora já então esgotado, deixava seu rastro de riqueza, visível nas edificações residenciais, nas igrejas ou em prédios públicos.

Outras nasceram junto aos postos fiscais, as contendas, inclusive nas Estradas Reais, em especial a que nascia em Salvador, na Bahia, e rumava para Minas Gerais, Mato Grosso e Rio de Janeiro, ou vice-versa. Outras mais surgiram em pontos de pouso de viajantes, que buscavam algum amparo e sempre havia alguém para acudi-los.

Essas, de um modo geral, eram aglomerações de feições menos opulentas, bem simples até, mesmo as mais antigas. Muitas, porém, reservavam seu conforto e até opulências às sedes de fazendas, muitas das quais formadas no formato de verdadeiras vilas, com casas espaçosas, confortáveis, outras instalações e até capelas.

Essa diferença foi observada de pronto pelos viajantes. Em seu relatório, Cruls cita o caso do nome da cidade de Formosa, por exemplo: "A 1.º de Setembro entrávamos em Formosa, cuja fama de beleza lembrada por seu nome não é pouco exagerada".[17]

Com as fazendas, ou sesmarias, produzindo alguns alimentos agrícolas, mas principalmente gado bovino e caprino, havia uma atividade econômica, e sua produção precisava ser escoada. Sem falar nos caçadores, que buscavam também carnes, embora seu principal negócio se desse em torno da pele de animais, dos couros.

O couro alimentava forte indústria produtora de calçados (bota, perneira, sapato, chinelo, sandália), vestimentas (casaco, gibão, calça, chapéu, luva), selaria de animais, mobiliário (tamborete, cadeira, estrado de cama) e até utensílios domésticos, como prato, copo e cordões de suporte, para citar os usos mais comuns. No mais das vezes, o couro saía cru e o grosso da manufatura ocorria em outras partes do país, sem agregar valor na região.

Eram, pois, esses arraiais, aglomerações muito pouco sustentáveis, já que exportavam tudo o que extraíam até a exaustão. Enquanto houvesse ouro, havia fartura, mas esgotados os veios, nada ou muito pouco ficava. O mesmo valia para a caça, a madeira, as palmeiras e assim por diante.

Muitos desses sítios chegaram a mudar sua localização mais de uma vez, acompanhando a atividade extrativista ou fugindo de índios que ainda os assediavam quando da passagem da missão. Não há, porém, registro de confrontos desses indígenas, principalmente caiapós e crixás, com a caravana de Cruls em suas andanças.

De qualquer modo, no tempo da missão já havia aglomerados estabelecidos, quase sempre próximos de rios ou, quando pouco, de córregos e de ribeirões, o que assegurava água, no mais das vezes potável, aos humanos e aos animais. E, é claro, para a cozinha e a higiene.

A primeira localidade de maior porte encontrada pela missão foi Catalão, uma das mais antigas cidades de Goiás. Sua origem se deu ainda na expedição de Bartolomeu Bueno da Silva Filho, o Anhanguera II, lá por 1728. Portanto, apenas dois anos após a fundação de Vila Boa, que se tornou capital da província e depois do estado de Goiás, até a construção de Goiânia, na década de 1930.

A história dessa cidade é repleta de religiosos católicos. Os primeiros relatos sobre seu surgimento são do padre e historiador espanhol radicado no Brasil Luis Palacin Rodriguez. Ele conta que outro padre, originário da Catalunha, na Espanha, largou a expedição de Anhanguera e ali se fixou naquele ano. E emprestou sua origem catalã ao nome do lugarejo que se formou.

Mesmo assim, a primeira igreja do local só surgiu em 1810. Mas, desde oitenta anos antes o arraial era uma espécie de entreposto comercial e referência para os viajantes. Apesar de muito procurado, ouro ali nunca foi encontrado. Sua vocação sempre foi o comércio e a atividade pecuária. Na época da missão, a vila era forte exportadora de boi em pé e charque, o que significava a existência de uma indústria processadora de carnes, ainda que rudimentar.

Outro fator que tornava Catalão atraente era a promessa de que a ferrovia, que então se encontrava estacionada em Uberaba (MG), logo ali chegaria, como de fato ocorreu. Seria, como depois veio a ser, o que de mais moderno existia e significaria o avanço brasileiro para o oeste, indo assegurar os territórios que haviam entrado em disputa na Guerra do Paraguai, três décadas antes.

Em 1892, quando a missão passou pela cidade, havia nela cerca de duzentas casas e pouco mais de mil habitantes. Já havia, de igual modo, várias corruptelas no entorno da vila, o que fazia de Catalão um dos municípios mais populosos de Goiás. Era também importante centro cultural, especialmente por causa da congada, dança afro-brasileira que já naquela época envolvia grande parte da população e atraía gente de outros cantos do estado nos períodos de festas.

O mesmo semblante social e ambiental formava o cenário de outras localidades a oeste, no sentido do rio Paranaíba, formador do Paraná e, portanto, do Prata. Porto Velho, uma vilazinha a beira-rio, tinha meia dúzia de casebres (ou de fogos, como se falava) e uma população que vivia em função do rio, seja na pesca ou nas operações de travessia.

Pouco mais ao norte estava Entre Rios (hoje Ipameri), que tinha esse nome por localizar-se entre os rios do Braço e o Corumbá, formadores do Paranaíba. São rios, naquela altura, distantes dezenas de quilômetros um do outro, e Ipameri fica mais ou menos no meio do caminho. O novo nome da cidade significa "entre rios" na língua indígena. Com altitude abaixo de oitocentos metros, era, em verdade, uma vila com algumas dezenas de casas e casebres.

Seguindo o rumo noroeste era necessário atravessar o rio Corumbá em barcaça, e já havia pequenas aglomerações, como Santa Cruz; mas a vila de maior destaque já então era Piracanjuba. Todas viviam basicamente da pecuária de corte. Essas aglomerações também nasceram de pousos e contendas existentes.

Piracanjuba tinha quase uma centena de habitações e suas ligações comerciais mais intensas eram com Meia Ponte (hoje Pirenópolis). A vila tinha ruas calçadas com pedras e convergia para uma praça central, onde havia uma igreja rústica, mas de presença marcante, e casarões típicos com grossos batentes de madeira nas portas e janelas.

Tomando o caminho dessa localidade, ficava para trás, a leste, a vila de Santa Luzia (hoje Luziânia), outro importante centro aurífero surgido no início do século XVIII, como veremos adiante. Pirenópolis, porém, já gozava de destaque no roteiro de Cruls, em função de sua altitude e localização geográfica.

De fato, ao deixar Piracanjuba a topografia muda de figura, por se aproximar da chapada central, com altitude acima de mil metros. E a cidade mais importante era de fato Pirenópolis, não só por sua relevância econômica, apesar de o ouro ter se exaurido setenta anos antes da chegada da missão, mas por sua proximidade com os montes dos Pirineus, ponto que Cruls fazia questão de alcançar.

Em seu livro *Viagem à província de Goiás*, publicado pela primeira vez em 1848, Auguste de Saint-Hilaire revela que, já em 1819, era perceptível a decadência da atividade econômica na região. Aproximando-se dos montes Pirineus, nas cercanias de Corumbá, ele escreveu:[18]

> À exceção de uma casinha que me pareceu abandonada, não encontrei durante todo o dia nenhuma propriedade, nenhum viajante, não vi o menor trato de terra cultivada, nem mesmo um único boi.

E logo adiante:

> O dono da casa onde passei a noite — casa que era tudo em que consistia o arraial — possuíra outrora uma venda, mas fora forçado a desistir de seu comércio porque ninguém pagava o que comprava (...) A partir dali não encontrei durante o resto do dia o menor vestígio de trabalho feito pela mão do homem.

Aproximando-se, porém, da vila de Meia Ponte, Saint-Hilaire constata que o ouro ali havia dado lugar à atividade agropecuária. Eram muitos os barracões e casebres de garimpeiros que já estavam abandonados. Mas a cidade tinha, segundo ele, umas trezentas casas, e a população, contando com a zona rural, somava coisa de 7 mil habitantes.

Após assediar o vigário local em busca de abrigo, que lhe foi concedido, o viajante procurou a residência do comandante (prefeito), que "*morava numa casa muito bonita e me recebeu numa sala bem mobiliada, imaculadamente limpa*". Mas, nas ruas, havia muitos mendigos, alguns visivelmente doentes. E outros, segundo ele, vagueavam por pura indolência, falta de dinheiro e de emprego.

Havia, contudo, situações dramáticas na decadência, como neste caso que o viajante belga destaca em seus escritos:

> Achando-me ainda em Meia Ponte, avistei do outro lado do rio das Almas uma casa que ressaltava agradavelmente no meio da paisagem e me pareceu ter sido muito bonita em outros tempos. Fora construída por um homem de grande fortuna e dono de numerosos escravos. Tratava-se de um minerador, e suas filhas, quando por ali passei, viviam à custa de esmolas.

Os negros, na maioria já alforriados, viviam de pequenas lavouras, serviços gerais na cidade ou nas roças de fazendeiros, mas quase todos já remunerados. Ele constatou, ainda, a presença de um professor de gramática latina na localidade, o que denotava a existência de ensino de qualidade.

Ao deixar a cidade, em 17 de junho, Saint-Hilaire conclui:

> Ainda hoje a maioria dos habitantes de Meia Ponte se dedica à agricultura, e como só vão ao arraial aos domingos, as casas permanecem vazias durante toda a semana. As terras da paróquia são apropriadas a todo tipo de cultura, até mesmo à do trigo, mas é principalmente com a criação de porcos e a cultura do fumo que se ocupam os colonos da região. Os rolos de fumo e o toucinho são enviados não somente para Vila Boa, mas também para vários arraiais do norte da província.

O sítio de Pirenópolis nasceu com a descoberta de ouro, em 1731, pelos bandeirantes Urbano do Couto Menezes e Manuel Rodrigues Tomaz, que haviam sido da trupe de Anhanguera. Também ali as minas foram férteis, mas duraram menos de cem anos. Depois, a cidade se manteve, em grande parte, com recursos federais, aplicados em órgãos e funcionários públicos. A proximidade da capital, Vila Boa, era muito favorável nesse aspecto.

E nessa toada foi indo, definhando pouco a pouco, década após década, até a passagem da missão Cruls, 73 anos depois. Mas havia resistência, o brio daquela gente era notado por quem vinha de fora. Isso era o que denotava a arquitetura impecável, com casas pintadas a cal tingida, muitas fachadas e pisos revestidos com pedra pirenópolis, uma rocha lamelar que solta fatias, lajotas que desde aqueles tempos eram empregadas na construção civil na região.

O mesmo sucedeu nos arraiais próximos, como Ponte Alta e principalmente Corumbá, esta de igual modo detentora de uma arquitetura opulenta e ruas calçadas com paralelepípedos. As oligarquias locais também se mantiveram, após o ciclo do ouro, com recursos federais e prestação de serviços públicos a outras comunidades, além de moderada produção agropecuária.

O fato é que, em Pirenópolis, Cruls se ocupou principalmente da escalada do pico do Pirineus, como veremos mais adiante. Ateve-se também a reabastecer a tropa e organizar o próximo trecho da viagem. O rumo era Formosa, que seria o mais importante ponto para a definição do local onde poderiam ser estabelecidos os limites do novo Distrito Federal.

Ali, Cruls dividiu o grupo em duas turmas. Uma seguiria em linha reta, outra faria um cotovelo a leste, passando pela vila de Santa Luzia. Nos dois roteiros, foram muitas as surpresas, mas nada que detivesse o ânimo e a determinação de que era esse o trecho procurado pela comissão. Santa Luzia foi a maior localidade com que se deparou a segunda turma.

A vila transpassara a mesma euforia do ouro, embora com algumas desvantagens, a começar pelo fato de estar mais distante da capital. E, como se diz na região, "*quem tá longe, não é visto*".

Talvez por isso mesmo, nessa vila a exploração aurífera virou verdadeira bandalheira. Foi um festival de lavras, desvios de córregos — já com uso de rústicas bombas hidráulicas, mecânicas —, desmatamento, grandes grotões abertos no chão, picadas para todo lado, conflitos armados, muita morte e violência.

O ouro de Santa Luzia foi descoberto pela bandeira de Antônio Bueno de Azevedo. Segundo Paulo Bertran,[19] o precioso metal "*sorriu à luz do sol a 13 de dezembro de 1746, dia de Santa Luzia, a peregrina dos doentes dos olhos, que se deixou cegar para melhor se abrir para as luzes do espírito*".

Arguto pesquisador, Bertran resgatou relatos do historiador Joseph de Mello Álvares, que viveu na região, mas sua obra se pulverizou, sendo publicada, em partes, no jornal *O Planalto*, que existiu no início do século XX, ali mesmo em Santa Luzia, ou Luziânia. Um descendente desse historiador, de nome Antônio Pimentel, ajuntou os fragmentos e os publicou em livro, com o título *A história de Santa Luzia*.

Bertran detalha longamente o início do processo de abertura de lavras naquela área, destacando-o como o mais violento de todos, pelo trato dado aos escravos e pela relação de seus comandantes com outras comunidades. No início, eram religiosos católicos os principais chefes das atividades relacionadas a ouro naquela localidade.

A primeira missa ali rezada, em março de 1748, pelo padre Luiz da Gama Mendonça, contou com a presença de 6 mil pessoas. Entretanto, esse padre já estava no local desde um ano antes, fazendo batizados de crianças nascidas ali mesmo e de escravos que acabavam de chegar da África para trabalhar nas minas que eram abertas em profusão.

Bertran descreve:

> Mas o mais especioso de tudo é ver que na surgente [sic] Santa Luzia, nesses atos de batizado, figuram como donos de escravos dois dos mais execráveis povoadores de Goiás no conceito do proto-historiador padre Silva e Souza: o padre João Gago de Oliveira, paulista, e o padre doutor João Caetano Lobo Pereira. Ao padre João Gago e seu irmão, o também padre Antônio de Oliveira Gago, imputam-lhes mortes, açoites e muitos excessos; já o padre doutor era jagunceiro e de prepotência ilimitada, fazia despejar de sua vizinhança, com uma carta, os que lhe parecia, ameaçando-os de morte". Certa vez, obstou a justiça, recebendo um juiz com oitenta armas de fogo, que mandou descarregar nos oficiais".

O historiador conta que, nos primeiros três anos do julgado de Santa Luzia, foram nomeados mais de cem fundadores, metade dos quais portugueses, outra metade de nativos aqui dos trópicos. Eram aventureiros, verdadeiros bandoleiros, que após a era do ouro ou sumiram no mundo com o que haviam acumulado, ou ocuparam terras por vasta região e por ali se estabeleceram.

A família Gomes Rabello, por exemplo, deslocou-se para oeste em busca de mais ouro e acabou virando fundadora da localidade de Mestre D'Armas, hoje Planaltina, vila que ficou dentro do quadrilátero do Distrito Federal. A vila foi visitada mais de uma vez por componentes da missão Cruls.

Segundo os relatos, também Santo Antônio do Descoberto, Padre Bernardo e várias outras comunidades da região nasceram do aparecimento de veios auríferos, mas nenhuma chegou a bamburrar grandemente.

Há inúmeros relatos de uma enorme região, que abarcava parte do que hoje é o Distrito Federal, que foi transformada em campos de mineração. Seria algo comparável às cenas do grande garimpo de Serra Pelada, no Pará, nos recentes anos de 1980, embora com menor contingente de garimpeiros, espalhados em muitas lavras. Mas o cenário descrito, de homens cobertos de lama, metidos na terra e em lodaçais, é muito parecido.

É certo que, no caso de Santa Luzia, havia o historiador Joseph de Mello Álvares vendo os acontecimentos por dentro, já que sua família tinha terras e lavras na região e por isso ele participou de todo o processo. Em certo aspecto, a presença desse escritor ali pode ser comparada à de Euclides da Cunha na Guerra de Canudos. Aqueles eventos históricos ficaram mais conhecidos e lembrados do que outros episódios similares na história do Brasil, mas onde não havia quem os relatasse com tanta riqueza de detalhes.

Ficamos, assim, cientes de que durante o ciclo do ouro de Santa Luzia ocorreram muitos outros episódios dignos de registro, em especial os conflitos com índios. Em agosto de 1750, por exemplo, os caiapós invadiram uma fazenda e mataram 21 pessoas. E passaram a impedir garimpos no alto rio Corumbá, com frequentes mortes de garimpeiros. E, é claro, centenas de índios também foram mortos.

Os "donos" das lavras, que já ocupavam vastas extensões de terras, forçaram então uma espécie de pacto com os índios bororós, tradicionais inimigos dos caiapós, e promoveram conflitos indígenas em larga escala. Os bororós foram, em verdade, subjugados por bandeirantes, ou bandoleiros — um único desses chefões chegou a ter perto de quinhentos índios sob suas ordens.

Também eram formadas irmandades religiosas, capitaneadas pelos mesmos comandantes, mas propondo diferentes tipos de ações, que incluíam a construção de igrejas e atividades sociais. Eram formas de assegurar alguma ordenação, ou domínio, no completo desarranjo que virou o sítio de Santa Luzia até as primeiras décadas do século XIX. Não havia autoridade que conseguisse impor regras à enorme confusão que ali se formou.

Mas houve igualmente fatos positivos, dignos de registro. Por exemplo, na década de 1770, uma fazenda foi doada a negros escravos por um militar de nome José Carrêa de Mesquita, que partiu intempestivamente, com muito ouro, deixando seu nome no córrego que corta a área a na própria vila que ali surgiu.

Os negros por ele libertos formaram um quilombo, já conhecido à época em que a missão por ali passou. Eles tiravam (e ainda hoje o fazem) sustento da agricultura, em especial do cultivo de marmelo e goiaba e da produção de marmelada e goiabada, acondicionadas em caixinhas de madeira, assim comercializadas desde então. E fumo, que era seco, enrolado e acondicionado em fardos.

De todo jeito, já em 1819, em Santa Luzia também havia uma arquitetura bem ajeitada, comparável às demais

Vista da cidade de Catalão, importante centro comercial quando da passagem da Comissão durante o primeiro trecho da viagem iniciada em Uberaba. A baixa altitude dessa cidade, pouco mais de 700 m do nível do mar, já a deixava fora dos planos de Cruls para a nova capital, que deveria se localizar acima da cota 1.000 m

Travessia de balsa no rio Paranaíba, em ponto com cerca de dez metros de profundidade. Movida a remo, a barcaça servia para todo tipo de travessia, desde quando por ali descia para o Sudeste do país boa parte do ouro e das pedras preciosas retirados na região do Planalto Central

congêneres, com casarões particulares, edificações públicas e três igrejas. Uma dessas, a de Nossa Senhora do Rosário, havia sido construída por negros escravos. Naquele ano, segundo Saint-Hilaire, a população era de cerca de 4 mil habitantes. E era o ponto de confluência da Estrada Real de Minas com a Picada da Bahia.

O ouro já havia acabado e a decadência era visível. Em sua passagem pela vila, Saint-Hilaire ignorou completamente o que por ali havia se passado e relatou o trabalho de alguns outros padres no combate à ociosidade, já que a cidade estava repleta de desocupados, que mendigavam ou simplesmente vagavam pelas ruas e praças.

No dia de chegada do viajante, segundo seus escritos, houve uma cavalhada, festa religiosa que representa a guerra entre cristãos e mouros na Europa medieval. Desde a década de 1820 o evento é realizado em várias localidades de Goiás, com destaque para Pirenópolis, onde se tornou grande atração turística.

Saint-Hilaire diz que assistiria à apresentação e depois seguiria viagem, mas depois do evento se recolheu à casa do vigário João Teixeira Álvares, por considerá-lo um homem muito culto, e ali pernoitou. A rápida estada lhe passou uma impressão sobre a localidade bem diferente da narrada por outros historiadores e viajantes. Ele escreveu:[20]

> O trabalho apostólico de João Teixeira Alvarez não deixa de dar frutos, pois havia — segundo me garantiram — mais união e honestidade em Santa Luzia que em outras partes da província de Goiás. Seus habitantes tinham bons costumes e o concubinato ali era menos comum.

Ele destaca, porém, que muitos dos que haviam explorado ouro acabaram virando fazendeiros na região, no mais das vezes na atividade pecuária. Muitos negros remanescentes ainda mariscavam parco ouro nos períodos das águas, de outubro a março, e outros trabalhavam nas fazendas.

Na mesma época, com meses de diferença, o mesmo padre ofereceu guarida a outro viajante europeu que passava por Santa Luzia. Era o médico tcheco Johann Emanuel Pohl, que viera ao Brasil para o casamento de D. Leopoldina, filha do imperador da Áustria, com D. Pedro I. Como a República Tcheca estava sob o domínio do império austro-húngaro, ele veio com documento austríaco.

Pohl fazia o caminho inverso ao de Saint-Hilaire. Já havia passado por Paracatu, em Minas, enquanto o outro seguia para lá. O fato é que o tcheco passou o Natal de 1818 na casa paroquial, e relatou as festividades, que contaram com a presença de gente das altas rodas locais de então. À meia-noite do dia 24 houve missa e outros rituais. No dia seguinte, um fausto e festivo almoço.

Ao partir, dias depois, Pohl ouviu uma série de conselhos do padre Teixeira Álvares. Um deles se referia ao regime monetário em vigor naqueles sertões:[21]

> Entre os preparativos de minha viagem figurava a aquisição, a conselho do meu digno hospedeiro, de uma balança de pesar ouro, pois eu teria de percorrer regiões onde não se usavam moedas, que são substituídas pelo ouro em pó, incômodo, que diminui muito com a circulação, que se dissipa ao pesar-se, e que

> frequentemente é falsificado pela adição de minério de ferro (esmeril) em pó, que, aliás, dá ao ouro uma cor amarelo-acinzentada (...) Pode-se admitir que, trocando-se por ouro em pó um ducado e dividindo-o em vinténs, para pagamentos, o prejuízo será certamente de 50%.

No entanto, os fazendeiros custavam a pagar salários aos seus funcionários, e quando o faziam, era em mantimentos, que não havia a quem vender. Não era bom negócio esse trabalho semiescravo, de modo que o ócio predominava na cidade. É certo que se formaram várias corruptelas ao derredor da vila, próximas ou mais distantes, mas todas buscando tirar o sustento da atividade no campo, também sofrida, mas autônoma.

Nas sete décadas seguintes, as coisas já haviam mesmo mudado bastante e Santa Luzia passou por acentuado processo de decadência, como ocorreu nos demais polos auríferos goianos.

Entretanto, para os membros da missão Cruls, essa era mais uma localidade que quase certamente ficaria de fora dos limites do quadrilátero que iriam delimitar. Por isso passaram batido, provavelmente ainda pisando em cápsulas de balas e cadáveres enterrados. E tomaram o rumo de Formosa.

O outro braço da missão, este chefiado pelo próprio Cruls, foi bater primeiro em Mestre d'Armas. No caminho, porém, o grupo passou por um topo de serra já então conhecido como Sobradinho, talvez pelo fato de permitir que dali se vislumbrasse os descampados do Planalto Central.

Aliás, a pesquisadora Leonora Barbo[22] crê, com base em relatos de viajantes, que Sobradinho pode ter surgido antes de Mestre d'Armas, ambas hoje no Distrito Federal, como paragem. Consta que a chapada da Contagem, próxima dali, tenha recebido este nome por abrigar uma parada fiscal, uma contenda.

Como oficialmente surgiu a vila de Mestre d'Armas já vimos, mas a história é um pouco mais longa. A Estrada Real passava por ali, esgueirando-se no rumo da Bahia, e naquele ponto havia um posto fiscal junto do qual se formou um agrupamento de casas.

Numa dessas habitações morava um armeiro, que se tornou muito conhecido na região, uma referência para viajantes, caçadores e outros moradores; e daí advém o nome de Mestre d'Armas, já de largo uso naqueles anos.

Por volta de 1770, quando José Gomes Rabello deixou Santa Luzia e foi se instalar naquela quebrada, portanto, nela já havia uma pequena comunidade. Ouro, diamantes e esmeraldas que os Rabello procuravam por ali não havia, mas o arraial se tornou um importante entreposto comercial. E tinha pelo menos umas cinquenta casas quando da passagem de Cruls por ali, em agosto de 1892.

O grupo que havia passado por Santa Luzia também andou por Mestre d'Armas, mas logo seguiu viagem para Formosa, que era o objetivo daquele trecho da missão. A distância na chegada das duas turmas ao novo ponto de paragem foi de treze dias, apesar da pequena diferença dos percursos percorridos, já que a primeira turma caminhou 202 quilômetros e a segunda, 239 quilômetros. A topografia e o tempo ruim fizeram a diferença.

De todo jeito, ali seria o local de consolidação dos limites que Cruls pretendia alcançar. A chegada a Formosa, como já vimos, foi decepcionante para Cruls, que esperava encontrar uma cidade parecida com outras, pelas quais havia passado, do ponto de vista da infraestrutura urbana e de apoio aos viajantes.

Em seus escritos, quatro décadas antes, ao traçar os limites de uma nova capital para o Brasil, o visconde de Porto Seguro havia sugerido que essa vila fosse a escolhida para a função. Na localização por ele sugerida, entre as três lagoas existentes naquela parte do Planalto Central, Formosa seria o ponto mais favorável. No entanto, Luiz Cruls não concordava com aquela posição geográfica.

A maioria das casas ali existentes era de taipa, todas cobertas com folhas de buriti, portais e janelas de madeira rústica, ruas de terra batida. Enfim, tinha uma aparência de vila pobre, que parecia não condizer com sua história de importante entreposto comercial. Nas fazendas, porém, a feição era diferente.

O historiador Gustavo Chauvet, nativo de Formosa, dá uma explicação para o fato:[23]

> Ressaltamos que a pecuária não cria, necessariamente, um grande aglomerado urbano. A região de Formosa está sendo progressivamente tomada por fazendas dedicadas à criação de gado. As fazendas podem ser autossuficientes em grande parte de suas necessidades. Por isso, é importante não confundir a história do povoado de Couros com a história do município de Formosa. Não é porque o povoado se manteve estacionário entre 1774

e 1830 que o desenvolvimento da região de Formosa também estivesse estancado.

Pelas inscrições rupestres encontradas em várias partes do município de Formosa, arqueólogos estimam que os primeiros habitantes da região datem de 4.500 anos. Os mais conhecidos mundialmente são os sítios da Lapa da Pedra e do Bisnau, que servem como comprovantes da longevidade da presença humana naquela parte de Goiás.

Nos tempos modernos, vários pesquisadores concordam que os primeiros habitantes daquele arraial foram negros, além dos índios nativos. Trazidos por bandeirantes, esses afrodescendentes se instalaram inicialmente num sítio de nome Santo Antônio, surgido nos anos 1740, às margens do rio Paranã, depois da cachoeira do Itiquira, rio abaixo.

Por isso, chegou a ser citado como Santo Antônio do Itiquira, mas, segundo Paulo Bertran,[24] era mais conhecido como "fazenda do Buraco" ou "sítio do Buraco", numa referência ao vão do Itiquira, onde está sua bela queda livre de 120 metros.

O fato é que o Arraial dos Couros foi citado pela primeira vez no Roteiro de Urbano, um precioso documento descoberto por Bertran na Torre do Tombo, em Portugal.[25] A mudança da comunidade, que se deu em etapas, ocorreu por causa da larga incidência de paludismo (malária) e outras doenças, o que evidenciava insalubridade das águas do rio Paranã e de seus afluentes.

Os cultos católicos (os únicos "oficiais") eram realizados na capela Nossa Senhora do Rosário, construída pela comunidade negra, adepta e praticante de cultos de origem africana. Somente em 1838 foi construída a igreja matriz no Arraial dos Couros. Erigido de maneira também rústica, esse templo era ainda existente quando da passagem de Cruls. Funcionou até 1904, quando foi fechado porque ameaçava desabar. Em 1915 foi demolido, dando lugar a uma igreja mais moderna do ponto de vista da construção civil.

Quase um século e meio depois da mudança da comunidade, Cruls e alguns membros da missão estiveram no vale do rio Paranã, inclusive no salto do Itiquira, e foram alertados pelos guias do risco de doenças naquelas paragens. Mas, como ele explica em seu relatório, uma das tarefas do grupo era justamente avaliar a qualidade da água dos mananciais de toda a região, de modo que seus membros permaneceram ali por alguns dias.

Pode-se dizer que aquele agrupamento se deu a partir de 1739 e nos dois anos seguintes, quando mais de vinte pessoas receberam sesmarias na região que veio a ser Formosa. Eles estabeleceram fazendas, principalmente para a criação de gado bovino. Mas também o processamento da produção agrícola foi desenvolvido, com destaque para o açúcar de cana e a farinha de mandioca, que são outras marcas tradicionais de Formosa.

Aliás, a farinha de mandioca tornou-se para eles um alimento fundamental, substituindo o pão. Além das festas do Divino e a quermesse de Nossa Senhora do Rosário, todos os anos se realizava a Semana da Moagem da Mandioca, com moinhos movidos por bois, uma festa popular que anima a cidade desde o século XIX.

Ou seja, aquele sítio já era movimentado por comerciantes que por ali passavam ou que iam negociar couros de animais caçados e de bois, ou com boiadas em pé e produtos agrícolas. Consta que esses viajantes armavam barracas com couros de animais, principalmente na área central do lugarejo, daí advindo seu primeiro nome.

Desde 1830, a cidade já contava com um coral, e na segunda metade do século, passou a ter também uma banda, no formato das retretas muito comuns nas cidades brasileiras de então. Outras manifestações culturais nos campos da literatura e outras artes também foram registradas naquele período, de modo que, embora recatada, a vila tinha movimentação o ano inteiro.

Mais tarde, foram instalados dois postos fiscais próximos do Arraial dos Couros — um junto à lagoa Feia, outro perto da cachoeira do Itiquira, nas estradas a oeste e a norte. Também foram fixadas algumas contendas próximas dali. Só para lembrar, os postos fiscais operavam a cobrança de impostos, enquanto as contendas faziam a contagem das pessoas e animais que passavam, para efeito de conferência.

Foi ali, em Formosa, que a comissão chefiada por Cruls se dividiu nos quatro grupos demarcadores. Após completada a tarefa, todos se encontrariam na capital da província, a cidade de Vila Boa, o que era uma espécie de ação diplomática, de apresentação do grupo às autoridades de Goiás.

Vila Boa, como já vimos, foi fundada por Anhanguera II, ainda com o nome de Arraial de Santana, em 1726, tornando-se Vila Boa de Goiás dez anos depois, por ordem régia. Foi inicialmente um importante polo aurífero, e depois, o centro político-administrativo provincial. Era, é certo, um antro do coronelismo, com uma história recortada por conflitos armados entre facções do poder e destas contra índios e escravos.

Havia índios de várias tribos que moravam ou perambulavam pela região, boa parte dos quais foi morta ou aprisionada pelos novos ocupantes das terras. A principal dessas nações era a dos goiases, ou goiás, que cedeu seu nome à província, mas foi completamente exterminada em menos de um século.

Um grupo, porém, dos avás-canoeiros, que era nômade, não se deixava aprisionar, e, ao contrário, deu muito trabalho aos colonizadores, com frequentes ataques sorrateiros e mortais durante mais de um século. Eram conhecidos como "índios negros", por causa de sua pele bem escura, e formavam a tribo mais longeva dessa região — ainda hoje existem alguns indivíduos, recolhidos ao Parque Nacional do Xingu.

À época da missão, a cidade impressionava por sua arquitetura e infraestrutura urbana, com as ruas calçadas com pedras de granito. À noite, era toda iluminada por lampiões. Já havia o suntuoso palácio do governo, várias igrejas e capelas católicas, mosteiro de padres e monges, câmara e cadeia, casa de fundição, quartel da guarda, praça com coreto, teatro, pontes sobre o rio Vermelho e outras benfeitorias.

A vila foi escolhida para ser a capital por ter sido ali o início da ocupação, onde Anhanguera ergueu uma capela, mas havia outros arraiais espalhados por todo o norte e nordeste goiano, como Traíras e São José do Tocantins (hoje Niquelândia). Esta última, aliás, produzia a moscovita, ou malacacheta, usada nos vitrais coloridos empregados em Vila Boa a partir da segunda metade do século XVIII, substituindo as treliças e venezianas empregadas até então nas portas e janelas.

A suntuosidade da catedral e de outros templos na área urbana já era, em larga medida, ofuscada pela simplicidade da igreja de Santa Bárbara, em que se rezou a primeira missa, em 1780. Erigida no Morro do Cantagalo, na encosta da Serra Dourada, sempre pintada de branco, com janelas azuis, só dava acesso por uma longa escadaria com 103 degraus, formando um cenário encantador, que sobrevive intacto até hoje.

A sinuosa topografia da área urbana, ostentando ao fundo as escarpas da serra Dourada, inspirou o lado fotógrafo de Morize, que ali bateu muitas fotos, representadas no Relatório. O nome da serra advém da coloração que aqueles morros ganham com o sol poente — um tom amarelado, cor de ouro, dourado, pois.

No campo cultural eram muitas as manifestações, quase todas de cunho religioso. A começar pela famosa procissão do Fogaréu, que representa a perseguição e aprisionamento de Jesus Cristo por soldados romanos, e também as cavalhadas, as festas do Divino Espírito Santo, dos Santos Reis e outras.

Mas, de igual modo, eram corriqueiros os concertos musicais inspirados nas modas portuguesas e os recitais poéticos de todos os matizes, a alguns dos quais os padres torciam o nariz. O teatro-ópera de Vila Boa consta da planta de ordenação urbanística da cidade, datada de 1782.

Filha ilustre da cidade, a poetisa Cora Coralina já era nascida (ela é de 1889) quando da passagem da missão. Mas ainda era uma menininha, filha de família tradicional sendo preparada para um bom casamento e essas coisas — ela só soltou seu veio poético aos 60 anos de idade, já em meados do século XX, portanto.

A Casa da Ponte, onde ela nasceu e morreu, aos 96 anos de idade, fora construída cem anos antes pelo rico comerciante Antônio de Souza Telles e Menezes. A Ponte do Telles, ao lado da casa, era ponto central na passagem de Cruls e existe até os dias atuais. A casa foi transformada em museu, que leva o nome da poetisa.

Naquele final do século XIX, o ouro já havia acabado setenta anos antes e a cidade vivia economicamente do serviço público e da agropecuária. De qualquer modo, geograficamente não havia ali nenhum interesse para a missão de demarcação da nova capital do Brasil. A visita era quase uma formalidade para satisfazer as autoridades de então, mas serviu para coleta de informações relacionadas ao objetivo da missão.

Cruls seguiu dali para Uberaba com outros dois dos grupos que haviam ido afixar os marcos dos vértices. O quarto grupo, do marco nordeste, atrasou os trabalhos e seguiu direto de Formosa para Uberaba, onde só chegou em fevereiro de 1893, mais de dois meses depois dos demais. Mas disso trataremos mais adiante.

Hoje, as aglomerações urbanas dentro do Distrito Federal e em seu entorno mudaram completamente. São muito diferentes das encontradas por Cruls e mesmo daquelas imaginadas pelo urbanista Lúcio Costa quando da construção de Brasília.

As cidades-satélites se multiplicaram e já são duas dezenas; as chácaras previstas para a produção rural local foram parceladas e viraram áreas também urbanas. Padrões foram quebrados e os altos edifícios se proliferam por todas as partes, exceto no próprio Plano Piloto, conhecida como área do avião, que é patrimônio da humanidade. A população local, em 2012, segundo o IBGE, já era de 2,8 milhões de habitantes.

As localidades que existiam ao redor do quadrilátero, no período da missão, cresceram grandemente, e muitas outras surgiram. Todas funcionam, em boa parte, como dormitórios. O chamado Entorno conta hoje com 22 cidades, três das quais em Minas Gerais e 19 em Goiás. Destas, cinco (Luziânia, Águas Lindas, Valparaíso, Formosa e Novo Gama) constam, hoje, da lista das dez mais populosas do Estado.

Lagoa Feia, que fica ao lado da cidade de Formosa. Era um dos pontos de referência do triângulo sugerido, décadas antes de Cruls, pelo Visconde de Porto Seguro como possível localização de uma nova capital do Brasil

Caminhos de ouro e sal

Muito antes de Lúcio Costa traçar as linhas de Brasília, elas já estavam marcadas no chão deste pedaço de Goiás no qual está compreendido o Distrito Federal. Não foi por arquitetos ou grandes especialistas em urbanismo, mas sim por anônimos, moradores da região, destemidos e incansáveis viajantes que por aqui transitaram mais de dois séculos atrás. Registros e mapas dos anos 1700 apontam que os principais entroncamentos rodoviários do DF já eram utilizados por essa gente esquecida pela história recente de desenvolvimento.[25]

Esse texto é a conclusão de tese de mestrado dos arquitetos Wilson Vieira Júnior e Leonora Barbo, da Universidade de Brasília (UnB), que fizeram minucioso estudo sobre os caminhos existentes no Brasil central desde os tempos coloniais. Eles tomaram por base farta cartografia antiga e documentos dos mais diversos para demonstrar que a locomoção de nossos antepassados seguia uma lógica que só técnicas mais modernas de construção suplantam.

Em verdade, portanto, a comissão chefiada por Cruls não inventou os principais roteiros da região. As trilhas e verdadeiras estradas já haviam sido demarcadas desde antes da chegada dos primeiros brancos, ou seja, os autênticos demarcadores dessas rotas dos sertões foram os povos que habitavam essas plagas desde milhares de anos — os índios.

Há vários fatores comprobatórios dessa presença, a começar por inscrições rupestres em diversos pontos daquela região, além de incontável número de objetos líticos, de ossos ou de madeira encontrados e preservados em universidades e museus.

Os indígenas que estavam na região dependiam muito da flora e da fauna. As épocas de determinados frutos, a migração de animais, a postura de ovos, especialmente de aves de maior porte, como a ema, ou de répteis, como os de tartaruga e de jacaré, eram fatores de deslocamentos contínuos.

Isso mesmo para grupos menos afeiçoados ao nomadismo, pois careciam de alimentos e estes seguiam mais ou menos as variações climáticas. Os insetos, especialmente larvas, eram encontrados no início da temporada de chuvas. Frutas e mel, durante o período úmido. Já os ovos eram abundantes nos meses secos.

Segundo Altair Sales Barbosa,[26] os mamíferos eram encontrados durante o ano todo. Os de hábitos campestres, como os veados, eram mais concentrados nas estações chuvosas, enquanto os ribeirinhos eram os preferidos durante a estiagem. As aves eram abundantes principalmente nos primeiros meses de chuva, enquanto a pesca ficava restrita aos de seca.

Com o início da atividade agrícola, no milênio que antecedeu a chegada de Cabral, as roças eram feitas em lugares ermos, muitas vezes distantes das aldeias. Além disso, era prática corrente mudar o lugar de plantio de safra para safra.

Os festejos e visitas amigáveis entre grupos também eram fatores de movimentação. Assim como as guerras com outras tribos e, depois, a busca de locais mais isolados para fugir do assédio do colonizador branco, ou mesmo para atacá-lo.

Os primeiros bandeirantes, e em particular Anhanguera II, orientavam-se bastante por esses caminhos, pois eles denunciavam a presença humana. Depois, viraram rotas para o transporte de ouro no sentido da Bahia e de gado e charque também para Minas Gerais, São Paulo e Rio de Janeiro. No sentido inverso, levavam os viajantes de diversas procedências, e alimentos, especialmente o sal.

Com o advento do carro de boi, alargaram-se as trilhas e incontáveis pontes e atracadores nas beiras dos rios foram construídos. Da mesma forma, proliferaram os barramentos de cursos d'água e cacimbas para uso humano ou para manter reservas que serviam ao gado bovino e outros animais durante os meses de sequeiro.

As comunidades eram interligadas pelos caminhos coloniais, como se convencionou chamar a rede de trilheiras, que formavam verdadeiras teias de aranha em torno da Estrada Geral do Sertão ou da Estrada Real. Por elas é que ali chegavam os bois e animais de montaria vindos da Bahia, do vale do São Francisco ou mesmo de partes do sudeste do País. E serviam também ao contrabando.

As manifestações culturais eram, de igual modo, fatores de ligação, de troca, entre as diversas localidades. Os ritmos, danças e cantorias, quase todos de origem religiosa, e as quermesses marcavam um calendário festivo e se tornavam bons motivos para visitações. E assim acabavam gerando outras trocas, num tipo de comércio que, embora rudimentar, era de grande importância para a região.

Os viajantes deixavam também suas marcas, algumas até com caráter meio mitológico. É o caso de Urbano do Couto Menezes, que andou por essas quebradas antes de 1750. Sua viagem foi contada em famoso documento denominado Roteiro do Ouro do Urbano, que se referia a uma enorme jazida aurífera, quase a céu aberto, que estaria nas proximidades de onde é hoje o Distrito Federal, num raio de cem quilômetros. Moradores antigos da região falaram com alguma dose de esperança de um dia encontrar o tal ouro do Urbano.

Na prática, porém, nunca apareceu ouro algum nos lugares mais prováveis, segundo a lenda. Bastante citada é uma área onde hoje se localiza Planaltina de Goiás, ou Brasilinha, uma antiga comunidade de apoio a tropeiros que virou cidade, mas sem vida econômica própria. Funciona quase como cidade-dormitório de trabalhadores que vão todo dia a Brasília, a cinquenta quilômetros de distância.

O que Urbano deixou, em verdade, foi seu nome em serra, rio e uma estrada, que corta o território que hoje abriga o Distrito Federal. Paulo Bertran escreveu:[27]

> A base do mito, porém, é real. Urbano do Couto Menezes existiu, foi grande explorador e geômetra prático. Além do mais, existe — em pleno Distrito Federal — a Estrada do Urbano, passando em frente à cidade de Taguatinga, desde o trevo de Goiânia até o de Brazlândia, deste último buscando a nordeste as cabeceiras do ribeirão da Palma, onde começa a fazenda Santa Cruz (ou fazenda do Urbano), que no Registro Paroquial de 1857 limitava-se pela serra do Urbano, uma das mais belas do Planalto Central, com sua serrania aprumada, limpa e enigmática como uma esfinge egípcia.

A Estrada do Urbano é, de fato, uma marca importante nessa região vasculhada por Cruls. Nessa área a noroeste do DF, onde está a serra do Urbano, também se localizam os córregos do Ouro, Lavrinha e Prata, afluentes do rio do Sal. E o córrego Urbano, afluente do ribeirão Palma.

Todos esses locais lembram o Roteiro do Urbano, que dizia ter encontrado ouro em vários pontos da região. No entanto, Bertran observa que esse documento era muito mais uma peça publicitária que registro verdadeiro de ocorrência do metal. Com esse material, o viajante

Vila Boa (hoje Cidade de Goiás), que foi criada por Anhanguera II, era a capital da Província de Goiás desde 1726, permanecendo como capital do Estado até fins da década de 1930, quando foi construída Goiânia. A passagem dos grupos da Comissão por ali, no entanto, teve um caráter apenas formal

conseguia arregimentar parceiros para custear suas andanças. Mas morreu pobre, sem nenhum grama do cobiçado pó amarelado.

Entretanto, com a descoberta e início da exploração de ouro na viagem de Anhanguera II, essa estrada tornou-se o caminho de ligação dessas áreas de Goiás com Salvador, então capital do país, e com o Rio de Janeiro. Eram duas longas colunas que se entroncavam na área onde é hoje o DF, e, por isso, interligavam praticamente todas as regiões do país. Receberam, depois, a denominação de Estradas Reais, por abrigarem postos fiscais para cobrança de impostos.

A primeira delas, chamada de "Picada de Goiás", foi aberta em 1736 pelo bandeirante Matias Barbosa, mais conhecido como coronel Cabeça de Ferro. Já então, a finalidade primordial da estrada era escoar o ouro que já brotava nas lavras goianas e na parte oeste de Minas Gerais, em especial na vila de Paracatu.

O caminho da Bahia partia de Salvador pelo sertão baiano, enfrentava inúmeros obstáculos, inclusive a travessia do caudaloso rio São Francisco, indo bater em Formosa. Ali havia um ramal que seguia o sentido Oeste, passando por Pirenópolis e pela capital Vila Boa. Seu destino final era a longínqua Vila Bela da Santíssima Trindade, cidade também criada por Anhanguera II, na fronteira do Brasil com a Bolívia, no Mato Grosso. Um total de 2,8 mil quilômetros de picadas.

Já a estrada para o Rio de Janeiro partia de Santa Luzia, entrava em Minas Gerais por Unaí e Paracatu, ali tomando o sentido sudeste. Passava por várias outras localidades mineiras, como Patrocínio, Coromandel, São João d'El Rey e, por fim, Juiz de Fora, onde descia a serra do Mar para então chegar ao Rio de Janeiro.

Ainda em Santa Luzia, havia duas outras prolongadas bifurcações. Uma delas seguia o sentido norte, para o Maranhão e o Pará, como conta Paulo Bertran:[28]

> Para o norte, havia uma estrada de Luziânia passando pela região do Plano Piloto, até Planaltina e em seguida para Belém (PA). Era um símile da rodovia federal Belém-Brasília, registrou, confirmando que a BR-080, projetada pelo engenheiro Bernardo Sayão, usou antigos caminhos de terra batida como referência. Esta media seus bons 3,5 mil quilômetros desde o Rio de Janeiro.

O outro braço de que falamos saía também de Luziânia, mas no rumo oeste, e em Pirenópolis quebrava para o Sul, indo bater em São Paulo. A esses troncos principais, ao longo dos tempos, foram se somando os tais incontáveis ramais, bifurcações e desvios usados para acesso a áreas específicas ou simplesmente para o contrabando.

Eram estradas que serviam aos tropeiros, boiadas e cargas em carros de boi. A primeira estrada para automóveis veio a surgir já no início do século XX, em 1921, ligando Ipameri, por onde já passava a ferrovia, a Planaltina. Mas isso quase três décadas após a passagem da missão Cruls, pois.

Casebre construído para servir de laboratório avançado da Comissão, próximo ao que viria a ser o Marco Sudoeste (SW) do quadrilátero demarcado por Cruls e seus companheiros de empreitada

A inspiração de JK

Quando, em 1955, Juscelino Kubitschek, ainda candidato a presidente da República, anunciou a construção de Brasília, ele sabia mais que ninguém que não estava inventando nada. A localização exata do futuro Distrito Federal estava demarcada desde o século anterior. Seu grandioso ato foi, em verdade, dizer "construa-se". E colocar nas mãos de outros gênios a execução da empreitada, com traços urbanísticos, de jardins e de edificações.

Por essa razão mesmo JK não gostava de ser apontado como o homem que criou Brasília. Ele preferia usar o verbo "construir", pois se considerava apenas o construtor, o executor de uma ideia que já estava detalhada. Se alguém na história pode desfrutar o verbo "criar", este seguramente será Luiz Cruls, o criador da nova capital do ponto de vista de sua localização geográfica.

É certo que a ideia de mudança do centro administrativo do Brasil vem de muito longe. Já havia sido, por exemplo, uma das reivindicações da Inconfidência Mineira, liderada pelo alferes Joaquim José da Silva Xavier, o Tiradentes, enforcado e esquartejado em abril de 1792. Ele defendia a mudança da capital para São João d'El Rey, em Minas Gerais. E Vila Rica, ali perto, seria sede de uma grande universidade, conforme descreve o historiador Ronaldo Costa Couto.[29]

O marquês de Pombal, homem forte do período do rei José I, em Portugal, chegou a defender a mudança da capital para algum ponto às margens do rio Amazonas, na região norte. A referência é feita em livro pelo médico Ernesto Silva, pioneiro e membro da primeira comissão criada por JK para organizar a construção da nova cidade, hoje Brasília.[30]

Mas o tema ganhou vulto mesmo décadas depois de Pombal e perpassou o século XIX nas ondas das polêmicas. Com o fim do Império e o advento da República, o ti-ti-ti cresceu ainda mais. Tomou as ruas, os bondes, os trens, os jornais, as festas, os bares e a literatura. A todos era forçoso ter uma opinião sobre o assunto, das mais vulgares às mais estapafúrdias. Em favor ou visceralmente contra.

Atento a tudo, até porque tinha de caçar assuntos para suas crônicas em periódicos, o grande escritor Machado de Assis escrevia, no dia 22 de janeiro de 1893: "Trata-se de mudar a capital do Rio de Janeiro para outra cidade que não fique sendo um prolongamento da Rua do Ouvidor".[31]

Ele divagava sobre as inúmeras hipóteses que a todo instante eram levantadas. Ele, Machado de Assis, também era alto funcionário do Ministério da Indústria, Viação e Obras Públicas, e por isso tinha autoridade para falar. Deixava claro, em suma, que a ainda inominada cidade que viesse a servir de capital do país já provocava notáveis expectativas na cabeça das pessoas.

Essa teria de ser habitada por quem quer que fosse, pois não há uma cidade se não houver nela os habitantes. Muitos lucubravam sobre o que ficaria no Rio de Janeiro e o que dali seria retirado. E quem ali ficaria ou pegaria outro rumo para cidades já existentes ou com destino aos sertões.

Em Niterói, Vassouras, Nova Friburgo, Petrópolis, Teresópolis, todos queriam puxar a sardinha para o seu lado, queriam ser capital, mas perto do mar. Mais uma vez, eram levantados, também, os nomes de algumas cidades mineiras e de Formosa, em Goiás.

Na época da independência, o patriarca José Bonifácio de Andrada e Silva havia apontado a região central do País como a mais apropriada. E indicou a cidade de Paracatu como uma provável candidata, pois esta ainda vivia a euforia do ouro e era próxima do planalto, em Minas Gerais.

Mas eram todas cidades já existentes. Machado de Assis, porém, embarcava na ideia de uma cidade nova, seguindo o prescrito pela primeira Constituição da República, que determinava a definição de "uma área de 14.400 km² para sediar o governo federal, na parte central do País".

O escritor era, pois, um defensor quase apaixonado daquela decisão da Assembleia Constituinte. E, por decorrência, adepto da atitude do presidente Floriano Peixoto, que deu encaminhamento àquela determinação e criou a Comissão Exploradora do Planalto Central do Brasil com essa finalidade.

Na ocasião de uma de suas crônicas a respeito do assunto, Cruls já havia completado seus trabalhos e estava de volta a Uberaba (MG), para ali deixar cavalos, mulas, selas empoeiradas e tomar o confortável trem para o Rio de Janeiro.

Foi esse, no frigir dos ovos, o mote de Machado. Depois de falar de Belo Horizonte, a nova capital de Minas Gerais, que naqueles dias estava em construção, dizia o mestre das palavras:

"Quanto à capital da República, é matéria constitucional, e a comissão encarregada de escolher e delimitar a área já concluiu os seus trabalhos, ou está prestes a fazê-lo, segundo li esta semana. Telegrama de Uberaba diz que ali chegou o chefe, Luis Cruls.

Não há dúvidas de que uma capital é obra dos tempos, filha da história. A história e os tempos se encarregarão de consagrar as novas. A cidade que já estiver feita, como no Estado do Rio, é de se esperar que se desenvolva com a capitalização. As novas devemos esperar que serão habitadas tão logo sejam habitáveis. O resto virá com os anos. (...)

A capital da República, uma vez estabelecida, receberá um nome de veras, em vez deste que ora temos, mero qualificativo. Não sei se viverei até à inauguração. A vida é tão curta, a morte tão incerta, que a inauguração pode fazer-se sem mim, e tão certo é o esquecimento, que nem darão pela minha falta. Mas, se viver, lá irei passar algumas férias, como os de lá virão aqui passar outras. Os cariocas ficarão sempre com a baía, a esquadra, os arsenais, os teatros, os bailes, a Rua do Ouvidor, os jornais, os bancos, a praça do comércio, as corridas de cavalos, tanto nos circos, como nos balcões de algumas casas cá embaixo, os monumentos, a companhia lírica, os velhos templos, os rebequistas, os pianistas..."

O mesmo rebuliço havia sucedido 130 anos antes, quando o rei de Portugal, D. João VI, resolveu mudar a capital da colônia de Salvador, na Bahia, para o Rio de Janeiro. A baianada despencou no rumo sul com fraques, chapéus, todos os penduricalhos e calhamaços de papéis. Mesmo caminho seguiram os atabaques, os berimbaus, as baianas paramentadas e o samba de roda do Recôncavo Baiano.

Mas havia uma diferença fundamental. Quando a capital se mudou para o Rio, já havia uma cidade. Por mais que fosse mudança, ali já havia gente e suas casas, seus escritórios, seus templos, seus cabarés, seus palácios. Era uma cidade estabelecida. A outra que se enfiasse nela do jeito que desse.

As atuais avenidas 2 de Julho e 7 de Setembro, com a praça Castro Alves e o Pelourinho inteiro de quebra, cenários de Salvador, iriam se esgueirar pelas encostas dos morros, pela rua do Ouvidor, por onde alguma brecha houvesse. E tudo se deu com muito carinho e cortesia. As baianas receberam até alas especiais nas escolas de samba. Luxo só.

Rio Descoberto

A nova mudança teria, agora, a vantagem adicional de fazer o caminho inverso, ou seja, desafogar o Rio de Janeiro. A densidade populacional na área metropolitana da então capital brasileira era de aproximadamente 2,6 mil habitantes por quilômetro quadrado, segundo dados oficiais. No restante da parte litorânea do país, do Rio Grande do Sul ao Ceará, essa relação era de 64 habitantes. Já no centro-oeste, era ainda mais módica, de apenas cinco pessoas.

Até por isso, pelo que se propalava na ocasião, as coisas seriam bem diferentes. Quem saísse do Rio para a nova capital, sabia-se lá onde, por certo teria de encarar um desertão, um cerrado bravio, de onde vinham notícias de índios arredios, da selvageria dos garimpos e dos coronéis, da terra de ninguém, onde os bandeirantes e outros viajantes haviam espalhado o terror. Grandes desgraças esperariam os que para lá fossem.

Seria decerto uma nova guerra. Uma nova Guerra do Paraguai, similar à que três décadas antes das andanças de Cruls levara tantos cariocas para o oeste bravio. Para conter a invasão do tempestuoso Solano Lopes, o chefe paraguaio, praças e oficiais brasileiros chegaram a morrer de fome em pleno Pantanal Mato-grossense, talvez o maior celeiro de alimentos do mundo.

Faltou-lhes jeito no trato com um ambiente tão diverso, de natureza incrivelmente bela, mas hostil. Fosse o que fosse, eram acontecimentos que ainda estavam vivinhos da cabeça de muita gente, no mesmo Rio que uma vez mais seria submetido a desafiador chamamento. Milhares de brasileiros mortos. Coisa parecida poderia ocorrer agora, em terras talvez ainda mais bravias e cruéis. Ou não seria igualmente ameaçadora a nova aventura?

Os colonos europeus que haviam chegado ao Brasil na segunda metade daquele século não foram sequer envolvidos. Incentivados pelo Império, a título de desenvolver a agricultura, mas com a intenção velada de embranquecer nossa sociedade, os imigrantes evitavam o centro-oeste, o norte e o nordeste do país.

Italianos, alemães, poloneses, ucranianos e procedentes de outros cantos do mundo preferiram principalmente o sul e o sudeste, por causa do clima mais parecido com o de sua origem. Queriam, também, ficar mais próximos de centros urbanos já estabelecidos, com suas infraestruturas e serviços. Com isso tudo, aliás, desde o Império, nossos governantes concordavam de pleno.

Os negros, no entanto, haviam chegado ao Planalto Central já nas primeiras levas de não índios e por ali muitos deles ficaram, seja como quilombolas durante a escravidão, seja como cidadãos livres mesmo antes do advento da Lei Áurea. Afinal, deve-se levar em conta, como já vimos, que o final do ciclo aurífero em Goiás significou, na prática, a alforria dos escravos, que foram largados ao Deus-dará e tiveram que se virar.

Uma vez definido o perímetro do novo Distrito Federal e sua localização exata, estaria cumprida a determinação de que essa fosse a área mais centralizada possível no território nacional, apesar da configuração de triângulo disforme do mapa do Brasil.

Enfim, em linha reta, o Rio de Janeiro (RJ) ficou a 940 quilômetros de distância da nova capital, São Paulo (SP) a

890 quilômetros, Cuiabá (MT) a 925 quilômetros, Salvador (BA) a 1.030 quilômetros, Porto Alegre (RS) a 1.650 quilômetros, Natal (RN) a 1.750 quilômetros, Boa Vista (RR) a 2.490 quilômetros e Rio Branco (AC) a 2.250 quilômetros. Ou seja, é uma área equidistante entre o mar e a fronteira a oeste, mas desproporcional no sentido norte-sul.

O que foi a missão

A Comissão Exploradora do Planalto Central teve seus custos cobertos integralmente pelo governo federal, por medida aprovada pelo Congresso Nacional. No aviso que encaminhou a Cruls, o na época ministro das Obras Públicas, Antão Gonçalves de Faria, definia suas finalidades gerais, como é citado na abertura do Relatório final da missão:

> No desempenho de tão importante missão, deveis proceder aos estudos indispensáveis ao conhecimento exato da posição astronômica da área a demarcar, da orografia, hidrografia, condições climáticas e higiênicas, natureza do terreno, quantidade e qualidade das águas, que devem ser utilizadas para o abastecimento,

> materiais de construção, riqueza florestal etc. da região explorada e tudo mais que diretamente se ligue ao assunto que constitui o objeto de vossa missão.
>
> No decurso de tais trabalhos e tanto quanto possível, podereis analisar não só os estudos que julgardes de vantagem e utilidade para mais completo desempenho de vosso encargo, mas ainda os que possam concorrer para a determinação de dados de valor científico com relação a esta parte ainda pouco explorada do Brasil.

Cruls participara pessoalmente da definição das linhas gerais dessas determinações superiores. E as suplantou em muito, como demonstra o relatório final da missão, concluído em meados de 1893 e aprovado pelo Congresso no ano seguinte, em sessões que atraíram as atenções do país inteiro.

A comissão era formada pelo próprio Cruls, que a chefiava, e mais 21 pessoas em seu núcleo central. Esse grupo era composto por três astrônomos, dois médicos, dois botânicos, dois engenheiros mecânicos, um geólogo, um farmacêutico e nove especialistas de diversas áreas, classificados como "ajudantes", quase todos militares.

A parte operacional ficou a cargo de três comandantes militares (do Exército Brasileiro) e uma turma de gente da caserna, na maioria soldados. Havia também trabalhadores civis, muitos deles arregimentados em cada etapa da viagem, como era o caso de guias.

Esse contingente de apoio se ocupava de carregar e descarregar animais, fazer avanços precursores, armar acampamentos, caçar e pescar os alimentos, fazer as refeições e assim por diante. Levavam armas, mas não há registro de terem sido usadas fora da caça de alimentos, em conflitos de qualquer natureza.

Os componentes eram todos ligados de alguma forma à Escola Militar de Engenharia e ao Observatório Nacional, com destaque para o jovem Henri Charles Morize, francês de nascimento, mas brasileiro desde os 14 anos de idade, com o nome de Henrique Morize. Ele veio para o Brasil com sua mãe, que buscava construir nova vida em outro continente.

Aqui, havia trabalhado em serviços gerais numa livraria, em São Paulo, e como ferroviário, antes de decidir cursar engenharia na Universidade, no Rio de Janeiro, e de dar a sorte de virar colaborador de Luiz Cruls no Observatório Nacional.

Quando escolhido para também integrar a comissão, Morize tinha 26 anos. Foi, depois de Cruls, seu membro mais destacado. Tornou-se, a partir dali, importante cientista, diretor do Observatório e atuante em várias áreas. É atribuída a ele, por exemplo, a primeira transmissão de rádio no Brasil, embora o título seja disputado por vários outros nomes na historiografia nacional.

O fato é que, ao partirem do Rio, em 9 de junho de 1892, todos eles tinham uma interrogação na cabeça. E assim embarcaram no trem rumo a Uberaba, e lá pegaram os cavalos, burros e mulas que os levariam adiante, com pessoal de apoio e enorme quantidade de equipamentos de pesquisa e tralhas para o dia a dia nos 5.132 quilômetros que percorreriam pelos cerrados, dentro e fora do Planalto Central.

Enfrentaram incontáveis problemas, mas nada os deteve. Pelo relatório elaborado nos primeiros meses após o retorno, Cruls revela os passos dados e o cotidiano desses missionários das ciências. Caminhavam durante os dias e, à noite, ainda tinham que se preocupar com o cosmo, para suas medições e observações. Contudo, não foram atingidos por nenhuma das doenças que grassavam na região.

A comissão saiu do Rio de Janeiro de trem, pela ferrovia Mogiana, que à época só ia até Uberaba, no Triângulo Mineiro. Quando ali chegou, transportava 206 caixas e fardos, totalizando 9.640 quilos, quase dez toneladas, portanto. Para se ter uma ideia, uma única luneta, tida como portátil à época, pesava oitenta quilos.

O relatório não entra em detalhes sobre a tropa de animais, o principal meio de transporte daqueles tempos. Eram cavalos e, principalmente, mulas procedentes de centros criadores (as indústrias automobilísticas de então), localizados em maior número em São Paulo e Paraná, e revendidos por comerciantes mineiros.

Um veículo óbvio para o transporte de tamanha carga seria o carro de boi. Robusto, podendo ser longo, com muitas rodas e até sete parelhas — ou seja, catorze animais na tração —, levaria boa parte da carga mais pesada. Os carroções chegavam a ter 2,20 metros de largura e tantos metros quantos necessários de comprimento. Chegaram a ser usados em alguns pousos, para trechos curtos.

Mas, para a viagem mesmo, o carro de boi foi de pronto descartado. A começar pela ausência de estradas em boa parte dos roteiros que seriam percorridos. O que mais preocupava, porém, era a lentidão no andar dos bois e o manejo dos animais, o que atrasaria grandemente as andanças. Essa modalidade de transporte definitivamente não seria a mais apropriada para a empreitada.

Os cavalos, menos propícios ao transporte de cargas em caixas, eram usados mais como montaria. As mulas, como se sabe, são mais resistentes e menos exigentes quanto à alimentação e ingestão de água, além de serem estéreis. E ainda têm couro e cascos mais duros, enquanto os cavalos se ferem com mais facilidade, rompendo o couro com atrito de caixas e carcás, ou quebrando cascos em pedregulhos.

As mulas eram, enfim, os 4 x 4 dos veículos leves disponíveis no mercado de então. Por isso, foram empregadas em número muito maior. Todos os animais careciam, contudo, de repousos regulares para reposição de peso. De todo jeito, em condições normais, durante a viagem, a cada sete dias tirava-se um para repouso geral.

Levando-se em conta que uma mula carrega em média 72 quilos, segundo estudos de especialistas, para o transporte da carga da missão teriam sido necessários 133 animais. Adicionando os cavalos para montaria e considerando a necessidade de animais soltos (sem carga) para o revezamento, estima-se que esse plantel, em trechos da viagem, pode ter chegado perto de trezentas cabeças.

A carga era composta principalmente de equipamentos. Eram teodolitos, círculo meridiano, sextantes, barômetros, aneroides, podômetros, balanças, relógios, bússolas, máquinas e material fotográfico, instrumentos meteorológicos etc.

Do ponto de vista das distâncias, os podômetros (conta-passos) eram de grande valia. Foram colocados em pessoas do grupo que andavam numa toada firme, o que dava bastante precisão nas marcações. Mas eram colocados também em animais, e calibrados após testes bem precisos.

Para cuidar dos equipamentos, o mecânico Eduardo Chartier carregava grande quantidade de outros instrumentos para consertos de precisão. Ele era, em verdade, de uma linhagem francesa de especialistas em relógios, e demonstrou durante a viagem a importância desse conhecimento para manter a tralha funcionando.

Isso tudo, é claro, além de barracas, panelas, talheres, material de higiene, medicamentos, livros e o que mais pudermos imaginar. De quebra, os viajantes também carregavam com eles seus trajes de boa linhagem, inclusive gravatas, luvas, chapéus, cartolas e por aí afora.

Essas vestimentas mais refinadas, contudo, só eram usadas quando se apresentavam às comunidades, posavam para fotografias ou iam a eventos festivos. Nesta modalidade, contam vários historiadores que Henrique Morize era o puxador, pois chamava os companheiros para arraiais nas cidades e na roça, onde ele dançava e cantava como poucos.

Essas festanças eram animadas por gente da região, com instrumentos usados nos folguedos religiosos. Eram tambores (o surdo das folias, em especial), chocalhos, violas. Mas, em algumas cidades, como Pirenópolis, em ocasiões especiais havia festas em que os músicos vinham dos grandes centros, de outras partes do país. Óperas cantadas em italiano eram comuns.

No dia a dia da viagem, entretanto, todos eram pau para toda obra, topavam qualquer parada, debaixo de sol, chuva, frio, calor, campos abertos ou matas fechadas. Mesmo para Cruls, que era homem cuidadoso, meticuloso até, não havia tempo ruim. Todos sabiam das malárias e outros riscos dos sertões, pois isso constava de inúmeros relatos oficiais; mas enfrentavam tudo com naturalidade.

O planejamento das ações era feito com a participação de todos, mas a palavra final era sempre de Cruls. Ele produziu uma espécie de manual, que ditava as regras para uso comum. Eram as rígidas normas para as medições que seriam feitas, mas abarcavam de igual modo os procedimentos corriqueiros, inclusive de convívio do grupo em condições normais e nas adversidades que surgissem.

Cachoeira do Rio Cassu

Andanças da missão

Luiz Cruls fez uma descrição circunstanciada da viagem e seus escritos formam a parte principal do relatório final. Mas naquele documento foram incluídos seis anexos, escritos pelos chefes das outras três turmas responsáveis pela demarcação dos demais vértices, e por um médico, um geólogo e um botânico. Assim, pode-se dizer que o relatório foi escrito por sete pessoas.

Pela ordem, os anexos e seus autores são (leve-se em conta que a parte relativa à turma Sudoeste consta do texto do próprio Cruls, já que ele comandou aquele grupo):

I – Henrique Morize, astrônomo chefe da turma Sudeste;
II – Augusto Tasso Fragoso, oficial militar, astrônomo e chefe da turma Noroeste e secretário da missão;

III – Antônio Cavalcanti de Albuquerque, oficial militar e chefe da turma Nordeste;
IV – Antônio Martins de Azevedo Pimentel, médico;
V – Eugênio Hussak, geólogo; e
VI – Ernesto Ule, botânico.

O relatório é entremeado por 27 fotos de cenários naturais, logradouros e dos próprios membros da missão, todas batidas por Morize. Além de gráficos explicativos de cálculos, uma lista de cursos d'água cruzados pela missão, quadro de distâncias caminhadas e, ao final, uma série de mapas que localizam as áreas percorridas e demarcadas.

A abertura do relatório é uma "introdução" em que Cruls explica as razões da missão, e já no segundo parágrafo, afirma:[32]

> Agora que podemos dar por concluída nossa missão, com a publicação do presente relatório, em que se encontram os resultados de nosso trabalho, talvez não seja fora de propósito mostrar que, precedendo a exploração e demarcação da área pelo modo e na localidade em que foi feita, procuramos seguir o espírito que animou o legislador quando inseriu na Constituição vigente o Art. 3.º que reproduzimos à página 69 deste relatório.

Em seguida, ele cuida de explicar o que aquele artigo da Constituição queria dizer com a expressão "planalto central do Brasil", a começar pela definição dada pelos geólogos sobre o que é um "planalto". E é enfático sobre a decisão por ele adotada: "A única parte, porém, deste planalto, que nos interessa, é evidentemente a mais elevada, portanto, só trataremos daquela cuja altitude é de mil ou acima".

Ele faz rápido resumo dos trabalhos e finaliza sua breve introdução afirmando:

> Nutrimos, pois, a convicção de que a zona demarcada apresenta a maior soma de condições favoráveis possíveis de se realizar, e próprias para nelas edificar-se uma grande capital, que gozará de um clima temperado e sadio, abastecida com águas potáveis abundantes, situada em região cujos terrenos, convenientemente tratados prestar-se-ão às mais importantes culturas, e que, por um sistema de vias férreas e mistas convenientemente estudado, poderá facilmente ser ligado com o litoral e os diversos pontos do território da República.

Cruls entra, então, no relatório propriamente dito. Faz um preâmbulo, um breve histórico, relata as instruções dadas e lista os nomes dos membros da comissão. Suas explicações sobre os caminhamentos escolhidos é bastante técnica, com demonstrações de cálculos de distâncias e coordenadas, baseadas em dados de que dispunha, seguidos de algumas fotos.

A partir daí, ele entra na descrição da viagem em si, desde a saída no Rio de Janeiro, de trem, o meio de transporte mais moderno daqueles tempos. Esse trecho, no entanto, é por ele considerado como um preparativo para a longa caminhada em terra firme.

Uberaba, dia 29 de julho de 1892. Pelas indicações de que já dispunham os viajantes, um ponto básico que deveriam alcançar seria a cidade de Pirenópolis (GO), distante 503 quilômetros de Uberaba. O trajeto foi previamente dividido em 25 pousos, próximos a lugarejos, em fazendas existentes ou nos ermos cerratenses.

De modo geral, mesmo em fazendas, onde havia casas e barracões, o grupo preferia acampar, embora aceitasse desfrutar de facilidades da infraestrutura disponível em cada local, quando era o caso.

Vale lembrar, uma vez mais, que Goiás vivia o mando do coronelismo, das oligarquias rurais, que eram as donas das fazendas em que a missão se hospedava. Com o avanço das andanças da missão, cresciam também os rumores sobre desapropriações necessárias para a instalação do novo Distrito Federal, o que era motivo de preocupações e de muito burburinho.

Por isso, com os interlocutores com quem se deparava pelo caminho, Cruls evitava entrar em detalhes sobre os possíveis limites que seriam definidos. Esse foi, em verdade, um dos fatores que o levaram a optar por linhas retas nas margens do quadrilátero a ser traçado, em vez de alguma forma irregular que seguisse cursos d'água ou acidentes de topografia.

Essa solução, segundo o relatório, "tinha a vantagem de evitar, para o futuro, questões litigiosas". Assim, para as autoridades era mais fácil dizer que a linha passaria por tais coordenadas e pronto, sem muita discussão. Áreas das linhas para dentro do quadrilátero seriam desapropriadas, o que de fato veio a ocorrer após a definição dos limites.

É certo que, quando da demarcação final do novo Distrito Federal, após a decisão de Juscelino Kubitschek, foram levados em conta fatores conjunturais que mudaram um pouco o projeto original. Foi diminuído o tamanho da área e as partes laterais do quadrilátero deixaram de ser em linha reta.

De todo jeito, com Cruls, muitos fazendeiros se empenharam pessoalmente em ajudar a missão, auxiliando na guiagem, no suprimento de alimentos e até de animais para reforçar a tropa. O grupo era bem recebido onde quer que chegasse. Todos os fazendeiros são citados no relatório, por cederem pousada.

Isso vale também para as pequenas comunidades, onde a chegada dos viajantes era sempre festejada, e, na partida, era uma chusma de presentes, como galinhas, leitões, frutas, bolos etc. Já nos arraiais maiorzinhos, eram normais as bandas de música, corais, orquestras e as saudações agradecidas de autoridades de plantão.

No que se refere ao trajeto total percorrido, de 5.132 quilômetros, como veremos em detalhes mais adiante, foram medidas primeiro as distâncias cumpridas pelo grupo todo, unificado. Depois, no trajeto entre Pirenópolis e Formosa, que foi percorrido por duas colunas separadas por trajetos diferentes, foram somadas as duas medidas.

Por fim, quando a turma foi dividida em quatro grupos, para afixar marcos nos quatro vértices do quadrilátero, com retorno pela cidade de Goiás, foram somadas todas as distâncias. Assim sendo, fica claro que ninguém, nem mesmo o chefe, percorreu todo esse trajeto de 5.132 quilômetros.

Na marcha, o primeiro grande curso de água encontrado foi o rio Paranaíba, importante formador do Paraná e, portanto, tributário da bacia Prata. Na localidade de Porto Velho, onde a comitiva o atravessou, o rio tinha largura de 160 metros e profundidade de mais de dez, mas havia uma balsa rústica, de madeira, que foi usada na transposição. Já era 11 de julho de 1892.

Dali, o rumo tomado foi o de Catalão, cidade desde logo fora dos planos de Cruls. Mas era importante percorrer aquele trajeto para efeito de medições. E aí, uma surpresa: a temperatura caiu severamente, chegando próximo de zero grau já na primeira noite, formando uma camada de gelo sobre a bagagem dos viajantes.

Esse fato chamou a atenção dos membros da missão, que não esperavam encontrar um clima desses naquela região. Com isso, em seu relatório Cruls gastou alguns parágrafos com o assunto. Mas pouco se deteve a falar de Catalão, onde o grupo passou alguns dias. Esse fato, por si só, revela seu desinteresse por aquela localidade no que se refere ao projeto de demarcação de uma área para a nova capital.

Dias depois, a comissão estava de novo a caminho, no sentido oeste. Passou pelo rio Veríssimo, afluente do Paranaíba, onde havia um pontilhão com dezoito metros de comprimento. Mas, depois de mais três dias, chegava ao rio Corumbá, com largura de 115 metros, onde a transposição foi feita em um lanchão bem rústico.

Haviam passado por Entre Rios até atingir a margem do rio Corumbá, um dos formadores do Paranaíba. Ali, a travessia seria junto a uma pequena aglomeração de população ribeirinha, onde posteriormente cresceu a cidade de Pires do Rio. A caravana ali pernoitou, mas, no dia seguinte, pegou a estrada no rumo de Piracanjuba, uma localidade já antiga, numa altitude de 880 metros.

De novo em marcha, nos primeiros dez quilômetros andados avistaram no horizonte as elevações da serra dos Pirineus, fato que Cruls anotou com entusiasmo em seu relatório. Lembrou que, ainda em Entre Rios, alguns moradores haviam observado que a partir do rio Corumbá o terreno entrava em aclive e que seria possível avistar aqueles morros.

Desse ponto, a comitiva seguiu com maior vigor no sentido da cidade de Pirenópolis, onde efetivamente daria início a seus trabalhos.

E assim, após percorrer os trezentos quilômetros desde Catalão, no dia 1.º de agosto de 1892 a caravana de Cruls chegou a Pirenópolis. Ali, não seria apenas mais um pouso, mas sim uma parada de alguns dias para que toda a estratégia dali para frente fosse revista. Era forte a convicção de que aquele era um ponto fundamental para as demarcações que fariam.

No final das contas, a região dos Pirineus, embora habitada por forasteiros desde a época de Anhanguera, era muito pouco conhecida. Assim, tornou-se um dos principais alvos da missão e, por decorrência, uma das suas maiores contribuições para o conhecimento dessa parte do estado de Goiás e do Planalto Central do Brasil.

Um grupo foi na frente para montar o acampamento e fazer os preparativos. Desde muito longe, a mais de cinquenta quilômetros, a serra dos Pirineus passou a ser o centro das atenções dos viajantes. A rigor, poderia ser esse somente mais um aspecto da topografia regional, mas, para Cruls, o pico dos Pirineus era, talvez, o lugar que ele mais ansiava encontrar naquele trecho da viagem.

Após sentarem pé no acampamento e passarem a primeira noite, membros da jornada esperavam desfrutar de alguns dias de descanso na encantadora cidade de Pirenópolis. Cruls, porém, já tinha planos para aqueles dias, como descreve em seu relatório:

> Com o fim de aproveitarmos o tempo que forçosamente nos deixavam os preparativos da partida, a separação de materiais etc., resolvemos determinar com todo o esmero possível a altitude do pico dos Pirineus, a respeito do qual havia grande discordância entre os geógrafos.
>
> A opinião geralmente aceita era de que a altitude desses picos orçava os 3 mil metros, e efetivamente todos os mapas do Brasil dão esse algarismo. Vamos mostrar que importa em mais da metade o erro dessa altitude, e que, na realidade, pode ser calculada em 1.400 (1.380 metros, segundo nossas observações).

Já nas primeiras observações, ao largo, Cruls ficara eufórico. Ele sempre desconfiara, como escreveu, que o pico dos Pirineus fosse o ponto mais elevado do Brasil, como diziam muitos estudiosos, e que, por isso mesmo, nessa posição é que constava dos mapas então existentes. Mas ele iria mais fundo, ou melhor, mais alto, porque subiu com todo seu grupo até o ponto culminante do pico.

A primeira vítima das constatações e da caneta de Cruls foi a publicação *Os picos altos do Brazil*, do geógrafo Orvile A. Derby. Esse autor coloca o Pirineus como mais elevado que os do Itatiaia, o Itambé e "qualquer outro ponto do sistema marítimo".

Várias páginas do relatório são ocupadas para demonstrar essas incorreções, citando outros autores sem dó nem piedade. O caso mais gritante é o do pesquisador norte-americano Charles Frederick Hartt, no livro *Geology and Physical Geography of Brazil* ("Geologia e geografia física do Brasil"), publicado dois anos antes. Antes de contestá-lo, Cruls cita o estudioso: "Os pontos mais altos de Goiás são os montes Pirineus, perto da cidade de Goiás, que, segundo dizem, excede os 9.500 pés".

Em seguida, descreve outras fontes que utilizou em seus estudos para depois, ele próprio, fazer as medições. E escreve:

> Não consta haver outra publicação sobre o assunto, além do jornal baiano citado por Hartt, que hoje dificilmente se pode encontrar. Existia, porém, na Biblioteca do Imperador, um manuscrito do padre Genettes com a data de 11 de outubro de 1873, que foi apresentado na Exposição da Sociedade de Geografia, e permite ajuizar da precisão desta determinação.

Essa medida em pés ingleses equivale a 2.896 metros, ou seja, mais de 1.500 metros a mais que a altura mensurada pela equipe de Cruls no próprio local. Para explicar a diferença, Cruls entra em detalhes técnicos,

Systema hydrographico

RIOS E RIBEIRÕES MAIS IMPORTANTES EXISTENTES NA ZONA DEMARCADA

Système hydrographique

FLEUVES ET RIVIÈRES LES PLUS CONSIDÉRABLES DE LA ZÔNE DÉMARQUÉE

N.º	Rio		
1	Bagagem	Corumbá	Paranahyba
2	Capivary	Corumbá	Paranahyba
3	Carurú	Corumbá	Paranahyba
4	Piancó	Corumbá	Paranahyba
5	Duas Oitavas	Corumbá	Paranahyba
6	Congonhas	Corumbá	Paranahyba
7	d'Ouro	Corumbá	Paranahyba
8	Das Gallinhas	Corumbá	Paranahyba
9	Cachoeira	Corumbá	Paranahyba
10	Barreiros	Corumbá	Paranahyba
11	Areias	Corumbá	Paranahyba
12	Descoberto	Corumbá	Paranahyba
13	Santa Maria	Corumbá	Paranahyba
14	Palmital	Corumbá	Paranahyba
15	Paiva	Corumbá	Paranahyba
16	Ponte Alta	Corumbá	Paranahyba
17	Guariróba	Corumbá	Paranahyba
18	Das Pedras	Corumbá	Paranahyba
19	Jatobá	Corumbá	Paranahyba
20	Maria do O'	Corumbá	Paranahyba
21	Saia Velha	S. Bartholomeu	Paranahyba
22	Mesquita	S. Bartholomeu	Paranahyba
23	Sant'Anna	S. Bartholomeu	Paranahyba
24	Papuda	S. Bartholomeu	Paranahyba
25	Tabócca	S. Bartholomeu	Paranahyba
26	Parnaúá	S. Bartholomeu	Paranahyba
27	*Pipiripau*	S. Bartholomeu	Paranahyba
28	Gama	S. Bartholomeu	Paranahyba
29	Torto	S. Bartholomeu	Paranahyba
30	Sobradinho	S. Bartholomeu	Paranahyba
31	Mestre d'Armas	S. Bartholomeu	Paranahyba
32	*Santa Rita*	Preto	S. Francisco
33	Retiro	Preto	S. Francisco
34	Extrema	Preto	S. Francisco
35	Jardim	Preto	S. Francisco
36	S. Bernardo	Preto	S. Francisco
37	*Bandeirinha*	Paranan	Tocantins
38	Genipápo	Paranan	Tocantins
39	Itiquira	Paranan	Tocantins
40	Sal	Maranhão	Tocantins
41	Monteiro	Maranhão	Tocantins
42	Verde	Maranhão	Tocantins
43	Fidalgo	Maranhão	Tocantins

N. B — De todos estes rios, os unicos, cujas aguas são improprias á alimentação, são os tributarios do rio Maranhão.

N'este systema hydrographico, as cabeceiras mais altas são: a do Santa Rita, vertente do São Francisco, pelo rio Preto; a do Bandeirinha (Pipiripau), vertente do Amazonas, pelo Paranan e Tocantins; a da Vendinha, vertente do Prata, pelo São Bartholomeu e o Paranahyba.

N. B. — De toutes ces rivières, les seules dont les eaux ne sont pas potables, sont les tributaires du Maranhão.

Les sources les plus élevées de ce système hydrographique sont celles: du Santa Rita, affluent du São Francisco, par le rio Preto; du Bandeirinha (Pipiripau), affluent de l'Amazone, par le Paranan et le Tocantins; du Vendinha, affluent du Prata, par le São Bartholomeu et le Paranahyba.

Lista dos 43 rios e ribeirões que Cruls considerou como os mais importantes da região percorrida no Planalto Central. Ele teve o cuidado de indicar a que bacia fluvial cada um deles pertence. Observamos que são 31 da bacia do Paranaíba (Paraná/Prata), cinco da do São Francisco e sete da do Tocantins, que faz parte, por sua vez, da bacia Amazônica

Material

Compunha-se o material destinado aos trabalhos da Commissão do seguinte:

Circulo meridiano.
Theodolitos.
Sextantes.
Micrómetro de Lugeol.
Luneta astronomica.
Heliotrópios.
Chronometros e relogios.
Barometros de Fortin.
Aneróides.
Bussolas.
Podómetros.
Instrumentos meteorologicos.
Material photographico.

Havia mais uma collecção de apparelhos mechanicos para o concerto dos instrumentos, dado o caso de algum accidente.

Todo o material, inclusive barracas, armas, mantimentos, occupava 206 caixas e fardos pesando ao todo 9.640 kilogrammas.

Primeiramente effectuou-se, pelo caminho de ferro o transporte d'esse material do Rio de Janeiro para Uberaba, e d'ahi por deante, em animaes cargueiros.

A 9 de Junho partia a Commissão do Rio de Janeiro para Uberaba, ponto terminal da linha ferrea da Companhia Mogyana. Chegando a Uberaba cuidou-se immediatamente da organisação dos meios de transporte quer para o pessoal quer para o material, o que, como sóe acontecer, apresentou sérias difficuldades, tanto maiores que, no caso occorrente, tratava-se de uma commissão numerosa acompanhada de consideravel material.

Só a 29 de Junho acharam-se terminados todos os aprestos e a Commissão poz-se a caminho.

Levantamento dos caminhamentos

Todos os itinerarios percorridos pela Commissão foram levantados pelo processo ame-

Matériel

Le matériel destiné à l'exécution des divers travaux de la Commission consistait en:

Cercle méridien.
Théodolites.
Sextants.
Micromètre de Lugeol.
Lunette astronomique.
Héliotropes.
Chronomètres et montres.
Baromètres Fortin.
Anéroïdes.
Boussoles.
Podomètres.
Instruments météorologiques.
Matériel photographique.

Il y avait en outre une collection d'appareils de mécanique destinés à exécuter des réparations aux instruments, en cas d'accidents.

Tout ce matériel, y compris les baraquements, l'armement, les provisions de bouche, occupait 206 caisses et colis d'un poids total de 9.640 kilogrammes.

Le transport de ce matériel se fit d'abord par le chemin de fer de Rio à Uberaba, et à partir de là, à dos de mulets.

Le personnel de la Commission quitta Rio le 9 Juin, pour se rendre à Uberaba, point terminal de la ligne du chemin de fer de la Compagnie Mogyana. Arrivé à Uberaba, on s'occupa aussitôt d'organiser les moyens de transport tant pour le personnel que pour le matériel, ce qui, comme toujours, présenta de sérieuses difficultés, d'autant plus grandes qu'il s'agissait dans ce cas d'une commission nombreuse, emportant avec elle un matériel considérable

Ce ne fut que le 29 Juin que tous les préparatifs se trouvèrent terminés et que la Commission put se mettre en route.

Levé des cheminements

Tous les itinéraires parcourus par la Commission ont été levés par la méthode améri-

Meticulosa lista das toneladas de materiais e equipamentos transportadas pela Comissão em sua viagem. À época, um único telescópio pesava em torno de 80 kg. Além dessa carga, havia a de alimentos, vestimentas, livros e assim por diante

« No decurso de taes trabalhos e tanto quanto possivel, podereis realisar não só os estudos que julgardes de vantagem e utilidade para mais completo desempenho do vosso encargo, mas ainda os que possam concorrer para a determinação de dados de valor scientifico com relação a essa parte ainda pouco explorada do Brazil.

« Da inclusa copia da Portaria d'esta data consta o pessoal que faz parte da referida commissão.

Saude e Fraternidade. — (Assignado) *Antão Gonçalves de Faria.* — Sr. Dr. Luiz Cruls. »

Pessoal da Commissão

Luiz Cruls...........	Chefe.
J. de Oliveira Lacaille.	Astronomo.
Henrique Morize......	»
Antonio Martins de Azevedo Pimentel..	Medico Hygienista.
Pedro Gouvêa........	Medico.
Celestino Alves Bastos	Ajudante
Augusto Tasso Fragoso	Idem, servindo de secretario.
Hastimphilo de Moura	Ajudante.
Alipio Gama.........	»
Antonio Cavalcante de Albuquerque.......	»
Alfredo José Abrantes	Pharmaceutico.
Eugenio Hussak......	Geologo
Ernesto Ule.	Botanico
Felicissimo do Espirito Santo..............	Auxiliar
Antonio Jacintho de Araujo Costa........	»
João de Azevedo Peres Cuyabá..............	»
José Paulo de Mello...	»
Eduardo Chartier.....	Mecanico
Francisco Souto......	Ajudante mecanico.
Pedro Carolino Pinto de Almeida.........	Commandante do contingente.
Joaquim Rodrigues de Siqueira Jardim.....	Alferes do contingente.
Henrique Silva.......	Idem, idem.

«Dans le cours de ces travaux et autant que possible, vous pourrez réaliser non-seulement les études que vous jugerez avantageuses et utiles pour l'accomplissement de votre mission, mais en outre ceux qui pourront contribuer à la détermination de données de valeur scientifique concernant cette partie encore peu explorée du Brésil.

«Ci-joint la liste du personnel qui fera partie de la même commission.

Salut et Fraternité.—(Signé) *Antão Gonçalves de Faria.* — A Monsieur L. Cruls.»

Personnel de la Commission

Louis Cruls..........	Chef.
J. de Oliveira Lacaille	Astronome
Henrique Morize.....	»
Antonio Martins de Azevedo Pimentel..	Médecin Hygiéniste
Pedro Gouvêa.......	Médecin
Celestino Alves Bastos	Adjudant
Augusto Tasso Fragoso...............	» f.f. de secrétaire
Hastimphilo de Moura	Adjudant
Alipio Gama.......	»
Antonio Cavalcante de Albuquerque.......	»
Alfredo José Abrantes	Pharmacien
Eugenio Hussak.....	Géologue
Ernesto Ule.........	Botaniste
Felicissimo do Espirito Santo.........	Auxiliaire
Antonio Jacintho de Araujo Costa......	»
João de Azevedo Peres Cuyabá...........	Auxiliaire
José Paulo de Mello..	»
Edouard Chartier....	Artiste mécanicien
Francisco Souto......	Aide mécanicien
Pedro Carolino Pinto de Almeida	Capitaine Commandant le détachement
Joaquim Rodrigues de Siqueira Jardim....	S. Lieutenant
Henrique Silva.....	» »

Lista da equipe que formava a Comissão Exploradora do Planalto Central, tendo o nome de Luiz Cruls em primeiro lugar. Além desse grupo, havia o pessoal de apoio, que cuidava da infraestrutura, alimentação e vigilância. Havia ainda guias e outros trabalhadores que eram contratados em trechos específicos, de acordo com a necessidade

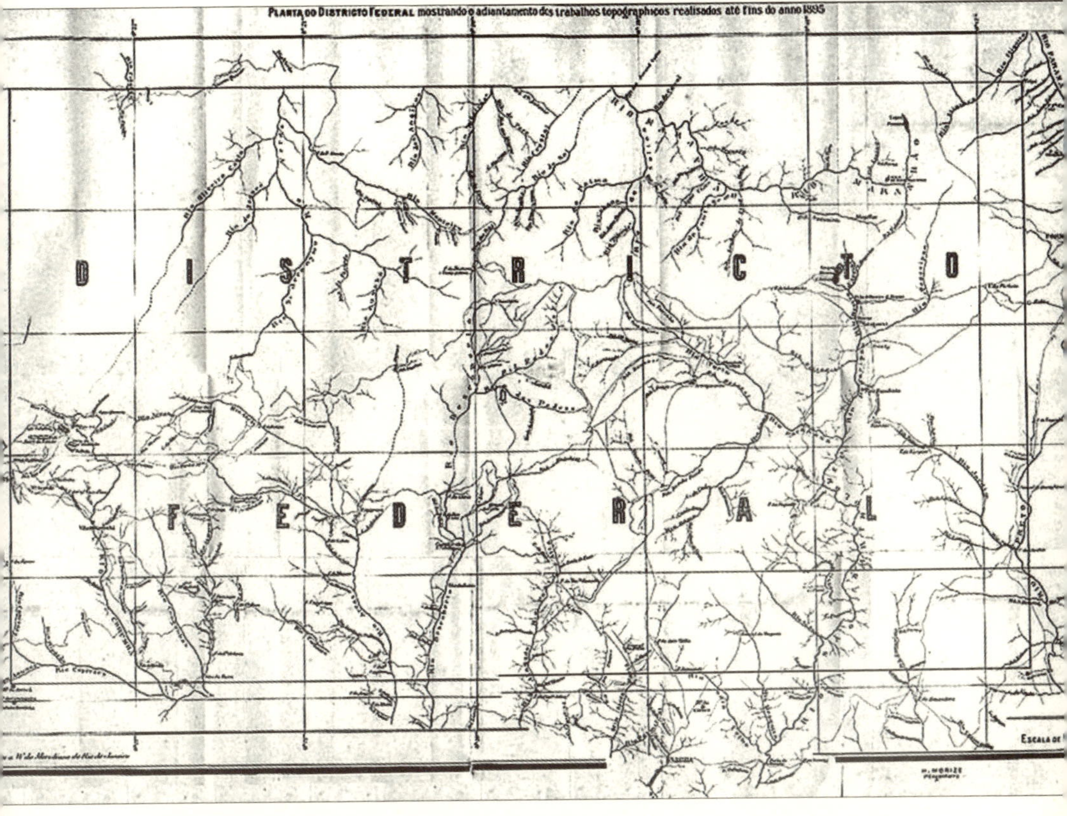

Esse mapa resume o objetivo da Missão Cruls, que era demarcar os limites de um novo Distrito Federal para abrigar uma nova capital do país. Quando, seis décadas depois, o presidente Juscelino Kubitschek oficializou seus limites, o novo DF ficou menor por razões diversas (desapropriação de terras, inclusive), mas os parâmetros definidos por Cruls foram os utilizados

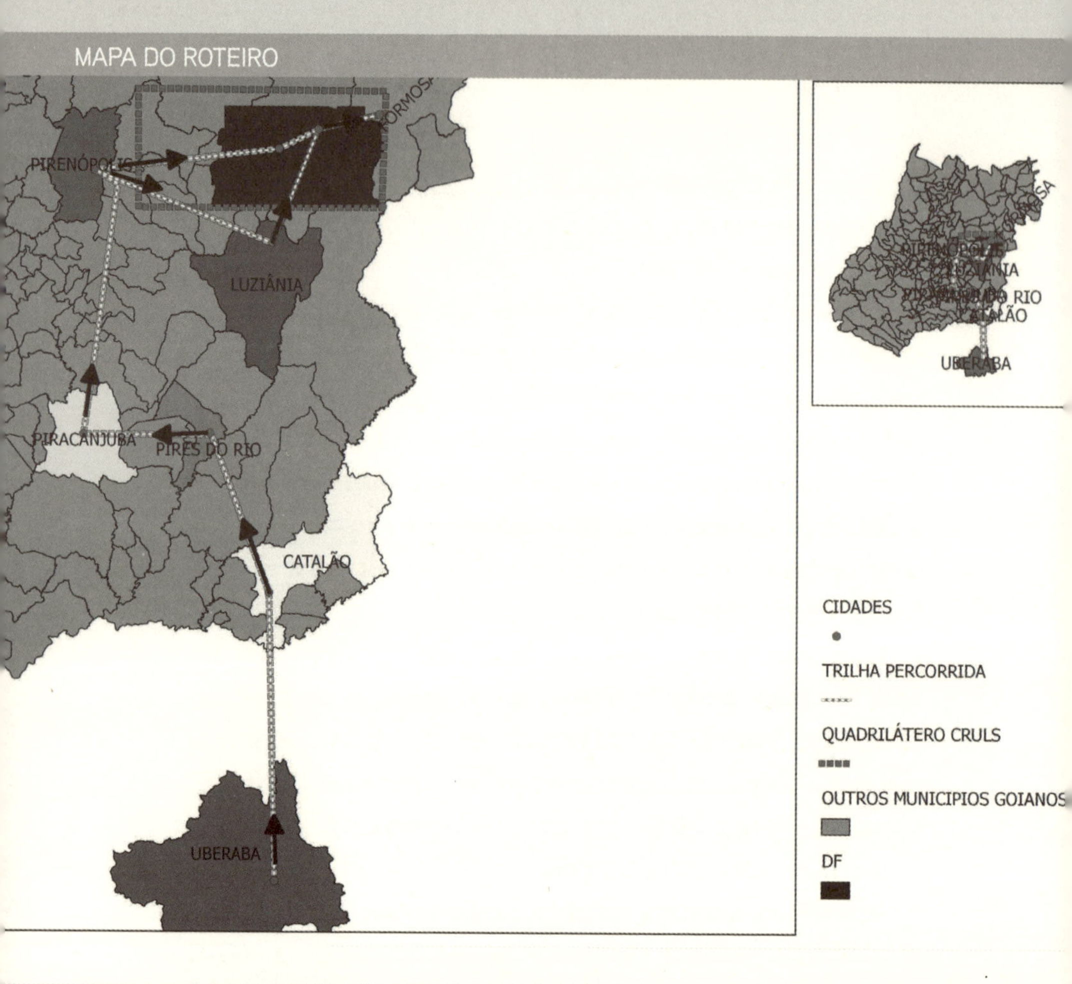

Mapa do percurso percorrido pela Missão, desde Uberaba até a chegada a Formosa, na etapa de ida. Aparece também, já demarcado, o quadrilátero do Distrito Federal proposto ao final da viagem

falando dos equipamentos usados (barômetros e aneroides) e sobre como e onde foram calibrados para chegar aos resultados obtidos.

Demonstra, no fim das contas, que as medições realizadas pela comissão eram mais confiáveis que as demais pelo simples fato de terem sido feitas por meio de escalada, com equipamentos apropriados, o que assegurava determinações precisas, segundo anotou. Mas ele se atém a detalhes técnicos, fazendo cálculos e comparações que com certeza convenceriam outros especialistas que viessem a ler seu relatório.

Contava, ainda, com a vantagem de, como já vinha fazendo desde o início da viagem, o astrônomo Henrique Morize ter registrado em fotografia a ascensão dos componentes da comissão ao pico dos Pirineus. Uma das fotos, aliás, registra a chegada do grupo ao ponto mais elevado do monte.

Após essa delonga sobre a bibliografia, em seu relatório Cruls passa a descrever detalhadamente a difícil escalada rumo ao pico dos Pirineus, iniciada no dia 7 de agosto, a mais ou menos vinte quilômetros da cidade de Pirenópolis. Faz comparações com uma viagem que havia feito à serra da Mantiqueira, na divisa de Minas Gerais com Rio de Janeiro, para averiguar a presença e a altitude do Itatiaia.

Para subir e descer o Pirineus foram gastos três dias e duas noites. Além da relevância científica da medição em si, a empreitada serviu para dar nova injeção de ânimo ao grupo. Agora, o projeto era tomar o rumo de Formosa, em duas frentes. Mas emergiriam novas descobertas em todos os campos de estudos antes mesmo da nova partida.

Já do alto do Pirineus, por exemplo, segundo seu relato, era possível avistar as cabeceiras dos rios Corumbá e Almas, bem próximas uma da outra. Só que o primeiro daqueles cursos d'água corre para o sul e é formador da bacia do Prata, como já visto. O outro sobe a noroeste, caindo no Urubu, que vai bater no Maranhão e este vira o imponente rio Tocantins, da bacia Amazônica.

Formosa, junto com Catalão, eram as duas cidades de maior destaque em toda a região que não tinham se originado com a busca de ouro. Como já vimos, Formosa se estabeleceu como entreposto do comércio de peles e couros de animais e pela atividade pecuária. De Pirenópolis até lá, o percurso era de cerca de duzentos quilômetros, dependendo do trajeto.

A primeira turma, comandada por Henrique Morize, partiu no dia 18 de agosto, tomando o rumo das cidades de Corumbá de Goiás e Santa Luzia, ambas surgidas no ciclo do ouro, a vila de Mestre D'Armas e outros treze pontos de pouso. Percorreu 240 quilômetros, chegando ao destino em 14 de setembro.

A outra turma, comandada pelo próprio Cruls, saiu de Pirenópolis cinco dias depois, mas chegou a Formosa treze dias antes da primeira, percorrendo um trajeto mais direto, de 202 quilômetros. Enfrentou menos dificuldades e passou por área mais central do quadrilátero que depois veio a ser demarcado.

Ambos os percursos, porém, foram muito proveitosos. Em verdade, foram essas duas caminhadas que definiram os limites do que viria a ser o Distrito Federal. A altitude de pouco acima da cota de mil metros do nível do mar possibilitou a Cruls demarcar a barragem que formaria um grande lago.

Assim nasceu a ideia do lago Paranoá, formado pelo rio do mesmo nome e dezenas de córregos cujos espelhos d'água ficassem na exata cota mil, o que de fato veio a ocorrer. Cruls aproveitou um desvão que ali havia, sugerindo uma pequena barragem, que formaria um alagamento de 25 quilômetros por 16 quilômetros de extensão. A sugestão que consta do relatório foi executada à risca.

Em torno de Formosa, a missão encontrou as três lagoas a que se referia o visconde de Porto Seguro como possíveis limites da futura capital. Mas essa delimitação foi desprezada por Cruls, por considerá-la pouco adequada para a construção de um novo conglomerado urbano.

Com base nos levantamentos feitos até ali, a parada em Formosa serviu para definir os critérios da medição do quadrilátero e a maneira de demarcá-lo. Seriam afixados no chão marcos de "ataque", que definem os pontos de partida de "caminhamentos". Ou seja, são os trajetos a serem seguidos em linhas determinadas.

A equipe foi dividida em quatro grupos, cada um deles com a incumbência de afixar o marco de um dos quatro vértices definidos com grande precisão. Segundo as instruções descritas por Cruls, os marcos teriam estas características:

> Abrir-se-á no terreno uma escavação, tendo um metro de lado e 1,3 metro de profundidade e em

> coincidência com o respectivo vértice. Essa escavação encher-se-á de pedras até um metro de altura; sobre estas será feito um revestimento de leivas, de modo que a vegetação possa em poucos dias cobrir o lugar.
>
> No centro da escavação será depositado um documento assinado pelo chefe e membros da turma, em que serão escritas as coordenadas do vértice, determinadas pela observação, e que será metido dentro de um invólucro convenientemente lacrado.
>
> Em seguida, a posição do vértice será ligada por meio de viseiras feitas sobre serras, morros ou edifícios e por triangulação topográfica com quaisquer acidentes naturais do terreno como sejam rios, cabeceira etc. etc., de modo que em toda e qualquer época seja possível descobrir o lugar onde se acham os vértices da área demarcada.

Antes de definir a posição dos vértices, porém, resolveu-se fazer incursões mais ao norte, para a chapada dos Veadeiros e para o vale do rio Paranã. No fundo, era a confirmação de argumentos que desfizessem as teses do visconde de Porto Seguro. Membros da comissão visitaram a lagoa Feia, que fica bem próximo de Formosa, e a lagoa Formosa, localizada mais ao sul.

A caminho desta última, Cruls e um grupo de companheiros encontraram numa mesma área as nascentes dos rios Santa Rita, que forma o São Francisco; Bandeirinha, formador do Tocantins; e Vendinha, formador do Paraná. Ali estavam, juntas, as nascentes de três das maiores bacias fluviais brasileiras. Naquele local, hoje dentro do Distrito Federal, está o Parque Nacional de Águas Emendadas.

De volta a Formosa, foram feitos os ajustes finais para as caminhadas dos quatro grupos de demarcação dos vértices. Pelas orientações passadas por Cruls, após detalhadas discussões com os demais membros, foram definidos os componentes de cada equipe e o roteiro que deveriam seguir. Completada a afixação dos marcos, todos passariam por Pirenópolis, e dali seguiriam para Vila Boa, a capital, por formalidade.

O primeiro a partir foi o grupo do marco sudeste, chefiado por Henque Morize, que saiu de Formosa em 1.º de outubro de 1892 com destino a Arrependidos, um lugarejo próximo à fronteira de Goiás com Minas Gerais, onde havia um posto fiscal. Já havia chegado o inverno, o que significa o período de chuvas na região, e, de fato, foram dias de muita água vinda do espaço, segundo seus relatos.

Mesmo assim, em quatro dias os oito caminhantes venceram 69 quilômetros, mas quase sem poder fazer suas medições por causa do céu fechado. Morize conta que ele e seu braço direito na equipe, Alípio Gama, um versátil técnico, tampouco conseguiam dormir, tal a incidência de goteiras dentro de suas barracas. Ao redor, a lama e alagadiços configuravam um ambiente de completa desolação.

Já no terceiro dia, porém, aproveitaram para fazer a medição das vazantes do rio Preto e do Jardim, seu afluente. Era uma oportunidade de ter um parâmetro dos cursos de água nos períodos chuvosos. E avaliar, de igual modo, a qualidade daquelas águas, que, segundo ele escreveu, “não gozam de boa reputação entre os moradores”.

Depois de quinze dias de caminhada, praticamente toda debaixo de chuva, o grupo chegou a um platô entre os rios Preto e São Marcos, já na região da serra dos Cristais, onde hoje se localiza o município e a cidade de Cristalina, no sudeste goiano. Fauna, flora, topografia, fotografia e regime de águas ocuparam o grupo de Morize naqueles dias. O sol e o céu limpo reapareceram somente no dia 25, e foi apenas por quatro dias.

E assim entrou o mês de novembro. Morize escreveu no relatório final:

> No dia 8, chegou-me um portador enviado pelo dr. Cruls recomendando presteza e dizendo-me que à vista do mau tempo podia reduzir a cinco as dez determinações de longitude estabelecidas pelas instruções. Como já houvesse sete calculadas e com resultado aceitável, resolvi dar por concluídos os serviços de observação e cálculo, restando o da fixação do marco.

Foram duas semanas de exaustivos trabalhos para a afixação do marco, na confluência do ribeirão Mariana com o rio Preto, onde se encontra até os dias atuais. Dali, voltaram a Pirenópolis, onde reorganizaram as tralhas e seguiram para Vila Boa. Passaram por várias localidades, inclusive por Jaraguá, onde todo o ouro e grande parte da população havia sumido.

O astrônomo gasta algumas páginas do seu relato descrevendo a então capital daquela que era a província de Goiás.

Ele destaca as edificações, a fisionomia de Vila Boa e observa que os fios do telégrafo àquela altura já chegavam por ali, o que facilitaria suas comunicações com o chefe da missão.

No vértice sudoeste, Cruls e seu grupo também já haviam colocado o marco, no dia 15 de novembro. No relatório ele se ateve, contudo, a publicar a ata escrita na ocasião, com as informações técnicas, de longitude e latitude, dando a posição exata da demarcação. Também esse marco continua no local onde foi afixado.

Cruls regressou a Pirenópolis, como combinado, e lá encontrou a turma do vértice nordeste, originalmente comandada pelo astrônomo Julião de Oliveira Lacaille, que abandonou a missão. Cruls ficou eufórico com a rapidez do grupo, mas era pura ilusão.

O que havia ocorrido, em verdade, é que, no meio do caminho, o comandante Lacaille alegara doença e pedira para se afastar dos trabalhos — foi a única baixa na linha de frente da missão em todo o trajeto. Mas um baita problema estava criado. Antônio Cavalcanti de Albuquerque, um técnico com conhecimentos em várias áreas que viajava na condição de "ajudante", foi designado por Cruls para chefiar a turma, começando do zero.

Assim, foi só em 21 de dezembro de 1892 que a turma do vértice nordeste saiu para Formosa, onde chegou no dia 5 de janeiro de 1893, também sob intensa chuva. O grupo estacionou na cidade, de modo a ajeitar a trenheira e aguardar a chegada do abençoado veranico de janeiro, um fenômeno meteorológico que inventa duas semanas de estiagem nos meses de janeiro no Planalto Central. E este chegou no dia 12.

Sem vacilar, a turma saiu em marcha naquele mesmo dia. A região não era de todo desconhecida, pois a maior parte dos membros da missão havia andando por aquelas bandas quando da investida sobre o vão do Paranã. Mas o rumo seria diferente, mais a leste, onde a topografia parecia ao grupo ser bem mais acentuada que o previsto, ou esperado.

Em seu relatório, Cavalcanti observa a má qualidade dos cursos d'água por que passara já nos primeiros dias de viagem. Na beira da serra Geral, o Bandeirinha, onde há uma bonita queda, estava contaminado por nitrato de potássio — e insalubre, pois. À margem esquerda do Paranã, seus afluentes já tinham os nomes de Salobo, Capim Pubo, Alforges e Salobinho, por causa do gosto de salitre.

Ele faz breve relato do assentamento do marco naquele vértice, que ocorreu no dia 25 de janeiro de 1893. É breve também na descrição da caminhada de volta a Formosa, que levou quatro dias. Já era 29 de janeiro e Cruls, no Rio de Janeiro, arrancava os cabelos pedindo maior presteza nos trabalhos do grupo.

No entanto, ao relatar seu retorno a Formosa, Cavalcanti divaga sobre toda aquela região. Fala das muitas doenças advindas da má qualidade da água, como o bócio e várias febres, mas realça o ambiente como propício à criação de gado bovino e plantio de café, cana-de-açúcar e outras culturas.

Na prática, pelo que escreveu, sua turma voltou a vários pontos antes percorridos, como a lagoa Feia e as nascentes do rio Preto, afluente do São Francisco. E desceu no sentido sul até o Samambaia, onde foi encontrar de novo o São Bartolomeu, da bacia do Paraná/Prata.

Tomou, então, o rumo da serra dos Cristais e ali testemunhou alguma atividade de extração de cristal de quartzo, abundante na região e já naquela época, segundo seu relato, de grande valor comercial, para uso na indústria ótica.

As pedras já eram exploradas por iniciativa de dois franceses, Etienne Lepesqueur e Leon Laboisière. Eram egressos das finadas lavras de ouro de Paracatu (MG), a cem quilômetros dali, e haviam sentado praça nas beiradas daquela serra ainda em 1880.

Pouco mais de duas décadas depois, houve ali a explosão do cristal, já então utilizado também em larga escala na indústria eletrônica que surgia. Garimpeiros egressos de sugadas lavras de ouro em outras paragens encontraram um novo filão. Ali formaram um lugarejo com o nome de São Sebastião da Serra dos Cristais. Em 1916, a vila ganhou autonomia e adotou o nome de Cristalina.

O fato é que dali a turma de Cavalcanti tomou o rumo de Catalão, e nesse ponto termina o relatório do comandante. No entanto, como já visto, o grupo desistiu de bater ponto na capital Vila Boa e seguiu direto para Uberaba. Dali, seguiu de trem para o Rio de Janeiro. Chegou em fins de fevereiro.

Outro relato constante do relatório é o de Tasso Fragoso, comandante da turma do vértice noroeste que partiu de Formosa no dia 15 de setembro de 1892. Desde logo, ele realça o fato de seguir trechos que já haviam sido descritos de forma bastante minuciosa pelo visconde de

Porto Seguro, pois era essa a área que este propugnava como provável localização de uma nova capital.

Aliás, o primeiro trajeto por ele percorrido, logo no início dessa etapa — lagoa Formosa, Mestre d'Armas, lugarejo de Sobradinho e Ribeirão do Torto —, já havia sido palmilhado pela própria missão. De todo jeito, Fragoso descreve os ambientes com leveza e grande simpatia. Com rigor, mas com linguajar mais poético que técnico.

Saindo da altitude de 1.067 metros, em Sobradinho, a trilha caía abruptamente num território sinuoso, de descida do platô, e ali entrava numa área desconhecida do grupo. Fragoso divaga uma vez mais sobre o fato de as águas da região formarem várias bacias que correm em sentidos diferentes. Ele cita com frequência o geólogo Eugênio Hussak, que fazia parte de sua turma.

Ao penetrar no vale do rio Paranã, foi transposto o rio do Sal, "cuja água é quase intragável", onde a população vivia em função das fazendas de gado. Naquele rincão, segundo os escritos de Fragoso, quase todo comércio era feito com a cidade de Santa Luzia. De lá vinham os suprimentos, especialmente, parecendo irônico, o sal, transportado em carros de boi, que faziam da estrada uma via larga e bem sedimentada. O sal era o único contato daquela gente com o litoral, diz ele.

Aqui, um trecho de seu relato em que descreve o ambiente percorrido por seu grupo:

> São os melhores campos que vi em Goiás, muito bem aproveitados para a criação de gado, que é ali

numerosíssima. Elegantes cabeceiras, com seus aprumados e verdes renques de buritis, põem uma nota alegre à monotonia do campo.

Em seguida, cruzando o município de Santa Luzia, o grupo vai bater nos rios Monteiro e Verde, ambos de água insalubre. Em especial este último, cuja água é esverdeada por compostos orgânicos que a deixam com uma sensação pesada, pois "aumenta muito mais nossa sede quanto mais a bebemos".

De todo jeito, pousando em fazendas ou beiras de rios, a turma noroeste entrou o mês de outubro e se aproximava do local onde deveria afixar o marco. No dia 6, foi bater na vila de São Bentinho, às margens do rio do mesmo nome, que recebe as águas do Monteiro e do Salobro. Dali, avista-se a uns setenta quilômetros de distância o pico dos Pirineus.

Dois dias depois, o grupo seguiu no rumo noroeste e foi bater na confluência dos rios Fidalgo e Patos, onde assentou acampamento definitivo para, a partir dali, executar a tarefa naquele vértice. Entretanto, alguns erros na localização, descobertos a tempo, fizeram que os trabalhos se demorassem mais, até 10 de novembro, quando o grupo partiu para Pirenópolis, seguindo as instruções.

Após apresentar os relatos dos chefes das turmas encarregadas da afixação dos marcos nos quatro vértices, o Relatório Cruls traz mais três anexos, com textos de outros membros da Comissão. O mais longo deles é o do médico Antônio Martins de Azevedo Pimentel, que vagueia por todos os aspectos que foram tratados pela missão.

Ao assentar no papel seus apontamentos, ele dividiu a escrita por tópicos, demonstrando enorme cultura e conhecimento do mundo em que vivia, com rasgos de ousadia. O primeiro capítulo, por exemplo, leva o título de "O Planalto Central do Brasil ou da América do Sul". Abre assim:

> Todo mundo sabe que o povoamento do Brasil quase que se limita à faixa do litoral, com o extenso desenvolvimento do Rio Grande do Sul à embocadura do rio Amazonas. Justamente nessa região é a salubridade subordinada, em geral, ao grau de paludismo, visto ser baixa, úmida, quente e palustre em toda essa zona. Nas terras altas do interior tudo é diferente.

Na sequência, Pimentel ressalta as qualidades da região para ali se erguer a nova capital do Brasil. Fala da fertilidade do solo, abundância de água potável, rios navegáveis, extensos platôs sem interrupções, fartura de minerais e assim por diante. E resume: "Tem tudo a ver, enfim, com as mais estreitas relações com os progressos materiais de uma grande cidade, e com o bem-estar dos seus habitantes".

Ele compara as terras do Planalto Central brasileiro com terras agricultáveis de várias partes do mundo, incluindo Europa, Ásia, África e as três Américas, atestando não ver em lugar algum condições tão favoráveis como as dali. E sugere que o grande número de trabalhadores europeus que veio para o Brasil na segunda metade do século XIX se adaptaria facilmente à região, bem como os cultivares e árvores frutíferas que trouxessem.

Pimentel passa, então, para o capítulo seguinte, que é "Orografia e hidrografia no Planalto Central do Brasil". Para chegar até ali, porém, divide o cenário sul-americano em três grandes blocos, com referências nos rios Orinoco, na Venezuela; no Amazonas, com suas principais nascentes nos Andes peruanos e na planície da Amazônia colombiana; e o Prata, que recebe suas águas de rios brasileiros.

Ele cita com frequência o geógrafo e naturalista alemão Alexander Von Humboldt, que fez longas viagens pelas Américas Central e do Sul. Em 1802, Humboldt foi proibido de entrar no Brasil pelas autoridades brasileiras, quando já se encontrava na confluência do canal do Cassiquiare com o rio Guainia, onde formam o Negro, na tríplice fronteira do Brasil, Peru e Colômbia. O Cassiquiare é, hoje sabemos, um rio defluente do Orinoco, não um simples canal.

Pimentel faz ampla análise dos rios e cadeias de montanhas entre os vales do Amazonas e do Prata. Por fim, coloca também o São Francisco como um grande rio brasileiro e destaca a importância da região serrana de Minas Gerais na composição do Planalto Central.

"Geologia do Planalto Central do Brasil". Esse é o terceiro capítulo do relatório do médico Pimentel. Como o enunciado já diz, ele dá seguimento ao capítulo anterior e passa a demonstrar as semelhanças nas constituições geológicas de Minas e de Goiás, a partir do vale do São Francisco. É um tipo de formação que se estende ao Sul, para o Triângulo Mineiro, ao norte de Goiás (hoje Tocantins) e ao Piauí e Bahia.

A composição do solo, com rochas de diversos tipos, sobrepostas de forma lamelar em posição horizontal, assemelham-se a fatias de pão de forma empilhadas, mas de colorações diferentes. Isto, segundo ele, revelava com nitidez os tipos de recursos minerais encontráveis naquele subsolo.

Quase sem interrupção, o viajante entra logo no capítulo seguinte de seu relato, cujo título é "Riqueza mineral do Planalto". Ele começa pela descrição do solo e desde logo aponta a possibilidade de seu aproveitamento na agricultura. Em sua opinião, se os primeiros povoadores houvessem se ocupado também da agricultura, e não só da extração de ouro, "seria hoje o Goiás uma verdadeira joia no interior do Brasil". E observa:

> Infelizmente, porém, a escravização dos índios e a extração do ouro, mais por brutal ganância que pelo trabalho moralizado e bem orientado, marcaram desde o princípio do povoamento do Estado a senha do infortúnio para quase todos os exploradores, e da ruína que até hoje perdura.

Depois, o texto avança na história da ocupação humana da região, a penetração dos bandeirantes, a forma como o indígena era dominado e a relação disso tudo com a atividade aurífera. Ressalva, porém, a figura de Anhanguera II, que "prestou grandes serviços ao Estado e veio a morrer pobre aos 70 anos de idade".

Embora não fosse essa a finalidade da comissão da qual era parte, ao falar do potencial mineral de Goiás

Pimentel adentra por uma análise socioeconômica da região. E diz que mesmo as famílias endinheiradas, ainda que tenham migrado para a atividade pecuária após a euforia do ouro, não teriam cuidado das novas gerações, que, segundo ele, era perdulária e, por isso, fadada ao fracasso.

Ele afirma não entender tampouco por que os donos de lavras exauridas não passaram a explorar outras riquezas do solo e subsolo da região. E passa a citar os minerais de valor encontrados pelos membros da missão, como diamante, granito, mármore, cristal de rocha e até a argila e o salitre, designando o uso industrial de cada um no que de mais moderno havia no mundo de então, em tecnologia.

O longo e detalhado relato passa ao capítulo "Riqueza florestal e botânica do Planalto", em que Pimentel realça a coexistência de ilhas de verdadeiros bosques de matas virgens com os descampados cobertos pelos diversos tipos de cerrado. E, de igual modo, entra em detalhes sobre grande diversidade de plantas.

Seu próximo passo é o capítulo "Águas medicinais do Planalto", a começar pelos mananciais já conhecidos desde os tempos de Anhanguera, como os de Caldas e Caldas Novas. E ressalta a possibilidade de existência de outros reservatórios de igual valor para a saúde humana.

Ele não se poupa de tecer críticas a estudos feitos por pesquisadores que já haviam passado pela região e compara esses mananciais com outros existentes em várias partes do mundo. Afirma ter sentido a possibilidade de ocorrência de água gasosa nas cercanias do rio Descoberto.

O viajante passa, então, à "Descrição topográfica de uma parte do Planalto Central do Brasil, e da área demarcada". Abre esse capítulo falando das crenças que muitos tinham a respeito dos sertões do centro-oeste, que serviam de argumento contra a prevista mudança da capital:

> Diversas vezes ouvi arguições completamente infundadas sobre imaginários perigos da viagem realizada, quer em relação aos maus caminhos e às supostas invencíveis dificuldades para a construção de vias de comunicação que liguem este ponto à futura capital; quer em relação ao estado atual dos nossos sertões, onde, segundo a crença geral, pululam os mais ferozes animais nas matas e nas águas dos rios e lagoas, onde vivem índios antropófagos de instintos crudelíssimos, e a muitos fatores inverossímeis. Puro romance. Pura fantasia.

Depois de assegurar que os caminhos percorridos pela missão nada deixavam a dever aos encontrados nos estados do Rio de Janeiro, São Paulo e Minas Gerais, ele cita uma série de exemplos de viagens que havia feito naquelas três unidades da federação. E então, passa a descrever a topografia da região agora percorrida.

Seguem-se, em seu texto, dois pequenos capítulos, acompanhados de tabelas e gráficos, "Meteorologia" e "Climatologia". Com a ressalva, contudo, de que a medição não era completa, já que a missão passara menos tempo contínuo em cada área do que o necessário para que fossem obtidos resultados mais acurados.

Assim, finalmente, o dr. Pimentel, como era chamado pelos companheiros de andanças, entrou na seara de sua especialidade, de médico higienista que hoje seria classificado como sanitarista. É o capítulo "Patologia". Já na abertura, constata, em tom de satisfação: "Nenhuma das afecções constante da pequena estatística por mim organizada é particular à parte do estado de Goiás visitada pela comissão, e nem tampouco depende do clima".

Não informa a quantos pacientes atendeu durante a viagem. Entre esses, porém, foram diagnosticadas doenças em 146 pessoas. Disparado, com dezoito casos, o maior número ficou com portadores de displasia, ou seja, deformidade física. Em segundo, estavam os acometidos pela bouba, com treze casos, e em terceiro os deficientes mentais leves (DMLs), com onze casos.

Ele ficou impressionado com a ausência de algumas doenças, como a tuberculose, que esperava encontrar em profusão. Constatou dois casos, em Formosa, mas eram pessoas oriundas de outras regiões que foram ali se tratar, por causa do clima. Com essa avaliação sobre saúde e salubridade, Pimentel encerra seu relato.

O Anexo V do Relatório Cruls ficou a cargo do geólogo Eugênio Hussak, que trata da estrutura geológica da região percorrida. Ele destaca, desde logo, que seus estudos não se restringem ao período da missão em si. A viagem posterior, embora de modo geral tida como inconclusa, serviu grandemente para aprofundar estudos, segundo ele.

No entanto, seu relatório mais parece um guia de mineração. É bastante técnico, inclusive no linguajar utilizado. Mas é bastante preciso quanto à localização de tipos de solo e de presença de minérios. Dedica boa parte de seus escritos a citar a presença de ouro e diamantes, por exemplo.

Quanto ao ouro, ele se refere à sua presença difusa, não em veios como os que foram por longo tempo explorados na região. E dá especial atenção ao diamante, como que propondo sua exploração nas áreas por ele percorridas, ainda que de modo superficial ou até a distância, pois menciona localidades mais ao norte do estado, onde nunca esteve, conforme diz.

Contudo, Hussak dedica uma pequena parte de seu relatório às rochas utilizáveis na construção civil, assunto de grande interesse para os objetivos da missão. Essa era uma preocupação de grande relevância, já que Luiz Cruls buscava comprovar que haveria na região demarcada o que fosse necessário à construção de uma nova cidade, sem depender de materiais que viessem de longas distâncias.

Sem explicação, como parte do mesmo anexo, vem um texto com o título "Notícia sobre a fauna", escrito pelo oficial Antônio Cavalcanti de Albuquerque. É uma segunda intervenção sua, já que, como vimos logo atrás, foi também o autor do relatório da turma que demarcou o vértice nordeste, que chefiou.

Trata-se de um relato bem menor que os demais, onde descreve os animais que foram encontrados durante as andanças dos membros da comissão, quando viajaram juntos ou após se dividirem em grupos. Pássaros, mamíferos, répteis etc. são separados em grupos e ele faz um breve resumo dos hábitos de cada um, apontando seus ambientes preferidos no contexto geral.

O Relatório Crulz traz, por fim, o Anexo VI, que é um texto de Ernesto Ule, o botânico da comissão. Ele descreve os lugares por onde andou e lembra os estudos feitos por viajantes que já haviam percorrido toda a região, "não somente gozando de melhores condições como demorando-se mais tempo". Saint-Hilaire, von Martius, Burchell, Gardner, Weddell e Pohl são os pesquisadores citados por ele.

Foi dessa forma que andanças da missão Cruls foram narradas no relatório final apresentado às autoridades do governo brasileiro em 1893 e aprovado pelo Congresso Nacional no ano seguinte.

MAPPA
BRAZIL
1893

Conclusões

O trabalho realizado pela Comissão Exploradora do Planalto Central foi de inestimável valor para o avanço do Brasil no rumo oeste de seu território, décadas depois. A Marcha para Oeste, do presidente Getúlio Vargas, nas décadas de 1930/40, deu seguimento à formação de uma rede ferroviária na região, que já estava em curso desde o século anterior, mas foi facilitada pelas indicações da missão.

A farta documentação produzida por Cruls e seus companheiros não compôs apenas o próprio relatório final da missão. Também divulgado em publicações ou mesmo guardado em arquivos de diversas instituições brasileiras e internacionais, esse material passou a ser fundamental para as ações oficiais na região central do país.

Grande destaque deve ser dado a sua precisão geográfica e descrição da biodiversidade encontrada. Esses registros renderam, nas décadas seguintes, grande quantidade de teses acadêmicas, roteiros de outros viajantes e pautas de reportagens, que juntas muito contribuem à historiografia brasileira.

Muitos outros registros se refugiaram na memória das próprias comunidades dos locais percorridos. Ficaram guardados em crônicas, textos cartoriais, livros de anotações, baús particulares e até mesmo na ficção escrita por gente da região. E muita coisa, por certo, ainda estará por ser resgatada.

Parece estar claro que foram em bom número os viajantes que, século após século, já haviam vasculhado todos aqueles rincões do Brasil. Cientistas, comerciantes, bandeirantes, aventureiros e bandoleiros das mais diversas nacionalidades já haviam deixado escritos de todos os naipes.

Mas essa documentação ou era muito específica, sobre aspectos definidos, ou muito genérica, ou às vezes até imprecisa. Cruls consolidou ou contraditou as informações até então disponíveis e avançou bastante.

Um exemplo clássico, como já vimos, foi a medição exata da altitude dos montes Pirineus, próximos ao atual Distrito Federal, o que era assunto polêmico à época. Ali se destacaram duas características marcantes da missão: o rigor técnico-científico e a disposição para a marcha, fossem quais fossem as condições que se apresentassem.

É claro que nada disso existiria não fosse a valorização da pesquisa científica e da exploração territorial que vinha desde o Império. A Proclamação da República e a elaboração de uma nova Constituição para o país apenas reforçaram essa disposição dos governantes brasileiros de então.

De igual modo, entretanto, foram os embates políticos na chamada Velha República que, em boa dose, impediram a execução imediata da ideia de uma nova capital. A começar por importantes levantes populares, como as guerras de Canudos (1896-1897), na Bahia, e a do Contestado (1912-1916), em Santa Catarina.

A primeira, que foi comandada pelo monge Antônio Conselheiro, exigiu quatro expedições militares do governo federal. Ali morreram perto de 20 mil revoltosos e 5 mil militares, chamando a atenção do Brasil pouco antes da virada do século. O evento foi amplamente divulgado, em especial pelo engenheiro militar e jornalista Euclides da Cunha, primeiro no jornal *O Estado de S. Paulo*, e depois, em 1904, em um clássico da literatura brasileira, o livro *Os sertões*, de sua autoria.

No Contestado, a denominação advém do fato de que aquele território era reivindicado por Santa Catarina e Paraná. Mas o levante surgiu por causa da construção da ferrovia São Paulo-Rio Grande, que ignorava a presença humana na região e tratava aquelas terras como devolutas. A luta era contrária ao conluio do governo brasileiro com o magnata norte-americano Percifal Farquar.

O empresário havia recém-concluído a ferrovia Madeira-Mamoré, às margens do rio homônimo, na fronteira com a Bolívia. No sul, além de construir a estrada de ferro, pelo contrato com o governo brasileiro ele teria o direito de explorar madeira (o pinheiro araucária, principalmente) e erva-mate nos 15 quilômetros em linha reta de cada lado da linha férrea. Ficaria também com as terras, na realidade.

Isso gerou a insatisfação das populações ali existentes, o que também foi capitaneado por um religioso, o monge José Maria; mas este morreu logo no primeiro combate com as forças do governo. Em quatro anos de lutas, tombaram mais de 10 mil insurgentes e perto de 3 mil militares.

O fato é que o governo do presidente Venceslau Brás foi forçado a rever o contrato e fazer a reforma agrária no território que havia sido entregue ao empresário. Todavia, o negócio era tão bom que os trilhos seguiram adiante e a ferrovia foi concluída.

Nesse período, estourou a Primeira Guerra Mundial, na qual o Brasil teve pequena participação, mas foi envolvido pela crise global. Entre as duas guerras populares, contudo, estourou outro conflito de grande vulto, desta feita envolvendo ainda mais fortemente a questão territorial. Foi a Guerra do Acre, do Brasil com a Bolívia.

A província de Ayacucho, no extremo norte da Bolívia, vinha sendo ocupada por seringueiros e seringalistas brasileiros, o que incomodava o governo do vizinho país e chegou a gerar acordos diplomáticos. Em 1902, porém, os bolivianos fizeram um contrato com um conglomerado de empresas dos Estados Unidos, que foi batizado de *Bolivian Syndicate*, o que gerou revolta dos brasileiros que exploravam seiva da borracha naquele território.

Essa reação foi capitaneada pelo militar e topógrafo brasileiro José Plácido de Castro, que comandou o confronto armado com o exército boliviano e mercenários do *Syndicate*. Como Plácido ameaçava até criar uma nação independente, o governo federal mandou tropas e aquilo virou uma guerra entre os dois países, com flagrante superioridade bélica brasileira.

Mesmo assim, no ano seguinte a diplomacia brasileira propôs um acordo e foi declarado um cessar-fogo. No ajuste, conhecido como Tratado de Petrópolis, o Brasil propunha a compra daquele território pela fantástica quantia de 2 milhões de libras esterlinas. A Bolívia topou sem grandes barganhas.

Foi assim que surgiu o Acre, e seu primeiro governador foi o próprio Plácido de Castro. Nesse período, como já foi relatado, Luiz Cruls percorreu de barco a região para definir os novos limites nacionais. Mas foi em condições das mais adversas. A maior parte de sua equipe morreu na viagem, e foi lá que ele adquiriu as doenças que o levaram à morte, logo depois.

Um fator que chama a atenção é o de que também ali o astrônomo deixou sua marca, já que foi usada a linha reta para o recorte territorial, na fronteira com a Bolívia. Cada lado que resolvesse eventuais litígios domésticos quanto a direitos sobre seus territórios.

Nas décadas seguintes, sucederam-se mudanças significativas na sociedade brasileira. Foram ebulições nas ruas e nos quartéis, decorrentes do adensamento de uma classe operária, de novas universidades e da participação política dos jovens das escolas militares e quartéis.

Um exemplo significativo é o da Coluna Prestes, comandada pelos tenentes Luis Carlos Prestes e Miguel Costa, que saiu do Rio Grande do Sul e percorreu boa parte do território nacional com a proposta imediata de derrubar o governo do presidente Artur Bernardes. Com cerca de 1.500 homens, em meados de 1925, a marcha peregrinou por paragens hoje localizadas no Distrito Federal e cercanias.

Em verdade, a Coluna percorreu vários trechos que haviam sido pisados pela missão Cruls. Um destacamento de revoltosos, comandado pelo tenente Siqueira Campos, vasculhou o vale do rio Corumbá, passando por Ipameri e Pires do Rio, esta que surgira no início do novo século, com a chegada da mesma ferrovia que ao tempo de Cruls tinha seu ponto final em Uberaba (MG).

Em Pires do Rio, a coluna bloqueou a estação de trem. Incendiou locomotiva e vagões. Cercados por tropas legalistas, entretanto, os revoltosos bateram em retirada. Foram tomar a cidade de Piracanjuba, onde se reabasteceram de suprimentos e cobraram o que chamavam de "Imposto de Guerra" da prefeitura local.

Segundo os historiadores Horieste Gomes e Francisco Montenegro, em livro sobre a passagem da Coluna por Goiás[32], a Coluna triscou também em Santa Luzia e chegou a parar no quilombo da Fazenda Mesquita, onde se abasteceu da goiabada, marmelada e fumo de rolo ali produzidos.

Outro de seus braços percorreu região mais ao Norte, cortando o vão do rio Paranã, por onde Cruls também passara. O objetivo dos revoltosos era fazer um caminho que os levasse a Belo Horizonte, e de lá, ao Rio de Janeiro. Mas sequer chegaram a cruzar o rio São Francisco, infestado de tropas leais ao governo federal.

O fato é que a peregrinação da Coluna pela região fez que o projeto da nova capital, que já estava mesmo meio engavetado, ficasse ainda mais distante dos planos governamentais mais imediatos naquele período. Era mais um pretexto.

Assim transcorreu nossa história até a Revolução de 1930, cuja proposta de modernização do Brasil era um amálgama do que parecia ser o somatório dos anseios da maioria da população urbana do país. Essa mobilização foi que levou Getúlio Vargas ao poder. Uma vez mais, porém, havia muitas outras prioridades que se sobrepunham aos planos de uma nova capital.

Esse descaso permaneceu nos eventos históricos do período. Em 1937, Vargas promoveu um golpe dentro do seu próprio regime e instituiu o Estado Novo, uma ditadura de moldura fascista. E, independente de coloração político-ideológica, a Constituição promulgada em 10 de novembro daquele ano sequer mencionava a possibilidade de mudança do Distrito Federal.

Foi, contudo, naquele período que surgiu com força a determinação de marcar presença maior do governo federal nas regiões centrais e de fronteiras a oeste do território brasileiro. A rede de ferrovias foi ampliada, com destaque para a linha São Paulo (SP)-Anápolis (GO). E foi definida a construção da cidade de Goiânia, que passaria a ser a capital do estado de Goiás.

Na Marcha para Oeste, como era chamado esse movimento do governo de Vargas, muitas das revelações da missão Cruls serviram como referências para obras e expedições oficiais à região. Também contribuíram para a abertura de várias novas frentes de pesquisas científicas.

Nesse intervalo de tempo ocorreu a Segunda Guerra Mundial, com forte participação brasileira. E assim foi até o advento da candidatura de Juscelino Kubitschek à Presidência da República. Logo num dos seus primeiros comícios, ocorrido na cidade de Rio Verde, Sul de Goiás, anunciou a construção de Brasília, que viria a ser a sede do governo central, no espaço delimitado por Cruls.

Há, pois, uma distância de tempo entre a missão Cruls e a implantação do novo Distrito Federal. Isso, no entanto, em nada alterou sua atualidade e acuidade quando da decisão de JK. Em verdade, o que se pode dizer, sem medo de engano, é que a missão Cruls foi fator de enorme importância para mudar a cara do Brasil, no século XX.

Notas bibliográficas

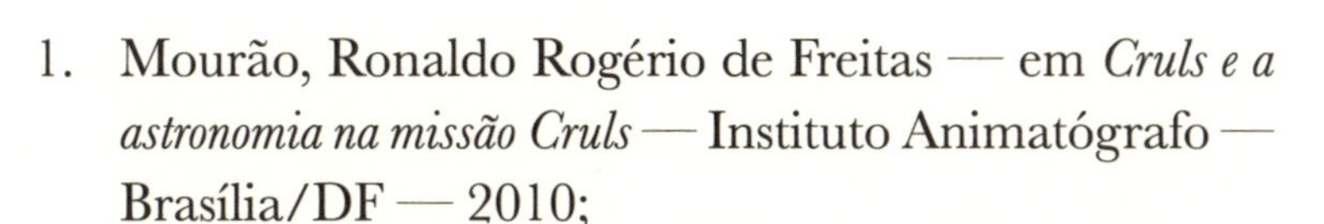

1. Mourão, Ronaldo Rogério de Freitas — em *Cruls e a astronomia na missão Cruls* — Instituto Animatógrafo — Brasília/DF — 2010;
2. Villa Real, Bismarque *et alii* — em *Estrada colonial no Planalto Central* — Instituto Paideia/GDF — Brasília/DF — 2011;
3. Cruls, Luiz — em *Relatório Cruls* — Editora Senado Federal — Brasília/DF, 2012;
4. Barbosa, Altair Sales — *Andarilhos da claridade — Os primeiros habitantes do Cerrado* — PUC/Goiás — Goiânia/GO — 2008;
5. Bertran, Paulo — em *História da terra e do homem do Planalto Central — Eco-história do Distrito Federal* — 3.ª Edição — Editora UnB — Brasília (DF) — 2011;

6. Hollanda, Sérgio Buarque de — em *Raízes do Brasil* — Livraria José Olympio Editora/IML-MEC — Rio de Janeiro/RJ — 1971;
7. Bertran, Paulo — obra citada;
8. Ribeiro, Darcy — em *O povo Brasileiro* — Companhia das Letras — São Paulo/SP— 1995;
9. Chaul, Nasr Nagib Fayad — em *Caminhos de Goiás* — Goiânia/GO — 2011;
10. Bernardes, Carmo — em *Numila* — Editora Record — Rio de Janeiro/RJ — 1984;
11. Élis, Bernardo — em "Veranico de janeiro" — Livraria José Olympio Editora — Rio de Janeiro/RJ — 1979;
12. Pimentel, Antônio Martins de Azevedo — em *Relatório Cruls* — Senado Federal — 2012;
13. Ab'Saber, Aziz Nacib — em *Ecossistemas do Brasil* — Metalivro Editora — Rio de Janeiro/RJ — 1986;
14. Silva, Carlos Eduardo Mazzetto — em *O Cerrado em disputa* — Pensar Brasil/Confea-CREA — Brasília/DF — 2009;
15. Cruls, Luiz — em *Relatório Cruls* — Editora Senado Federal — Brasília/DF — 2012;
16. Ribeiro, Darcy — em *O Brasil como Problema* — Editora UnB/MInC — 2010;
17. Cruls, Luiz — em *Relatório Cruls* — Editora Senado Federal — Brasília/DF — 2012;
18. Saint-Hilaire, Auguste de — em *Viagem à província de Goiás* — Editora Itatiaia — Belo Horizonte/MG — 1975;
19. Bertran, Paulo (Org.) — em *Notícia geral da capitania de Goiás* — Solo Editores — Brasília/DF — 1997;

20. Saint-Hilaire, Auguste de — em *Viagem à província de Goiás* — Editora Itatiaia — Belo Horizonte/MG — 1975;
21. Pohl, Johann Emanuel — em *Viagem no Interior do Brasil* — Editora Itatiaia — Belo Horizonte/MG — 1976;
22. Barbo, Lenora e Schlee, Andrey Rosenthal— em *Anais do III Congresso Luso-brasileiro de Cartografia Histórica* — Ouro Preto/MG — novembro de 2009;
23. Chauvet, Gustavo — em *Brasília e Formosa, 450 anos de história* — Editora Kelps/UEG — Goiânia/GO — 2006;
24. Bertran, Paulo — em *História da terra e do homem do Planalto Central — Eco-história do Distrito Federal* — 3.ª Edição — Editora UnB — Brasília (DF) — 2011;
25. Barbo, Leonora & Vieira Jr., Wilson — em "Anais do III Congresso Luso-brasileiro de Cartografia Histórica" — Ouro Preto/MG – novembro de 2009;
26. Barbosa, Altair Sales — *Andarilhos da claridade — Os primeiros habitantes do Cerrado* — PUC/Goiás — Goiânia/GO — 2008;
27. Bertran, Paulo — obra citada;
28. Bertran, Paulo — obra citada;
29. Couto, Ronaldo Costa — em *Brasília Kubitschek de Oliveira* — Editora Record — São Paulo-Rio de Janeiro — 2001;
30. Silva, Ernesto — em *História de Brasília* — Editora Senado Federal — Brasília/DF — 1985;
31. Assis, Machado de — em *Obras Completas*, volume 3 — Nova Aguilar — Rio de Janeiro/RJ — 1973;

32. Gomes, Horieste & Montenegro, Francisco — em *A coluna Miguel Costa/Prestes em Goiás* — Ed. Autores — Goiânia/GO — 2010.

IMPRESSÃO E ACABAMENTO
YANGRAF
GRÁFICA E EDITORA LTDA.
WWW.YANGRAF.COM.BR
(11) 2095-7722